これからの哲学入門

未来を捨てて生きよ

岸見一郎

これからの哲学入門　未来を捨てて生きよ　目次

第1章「私」とは

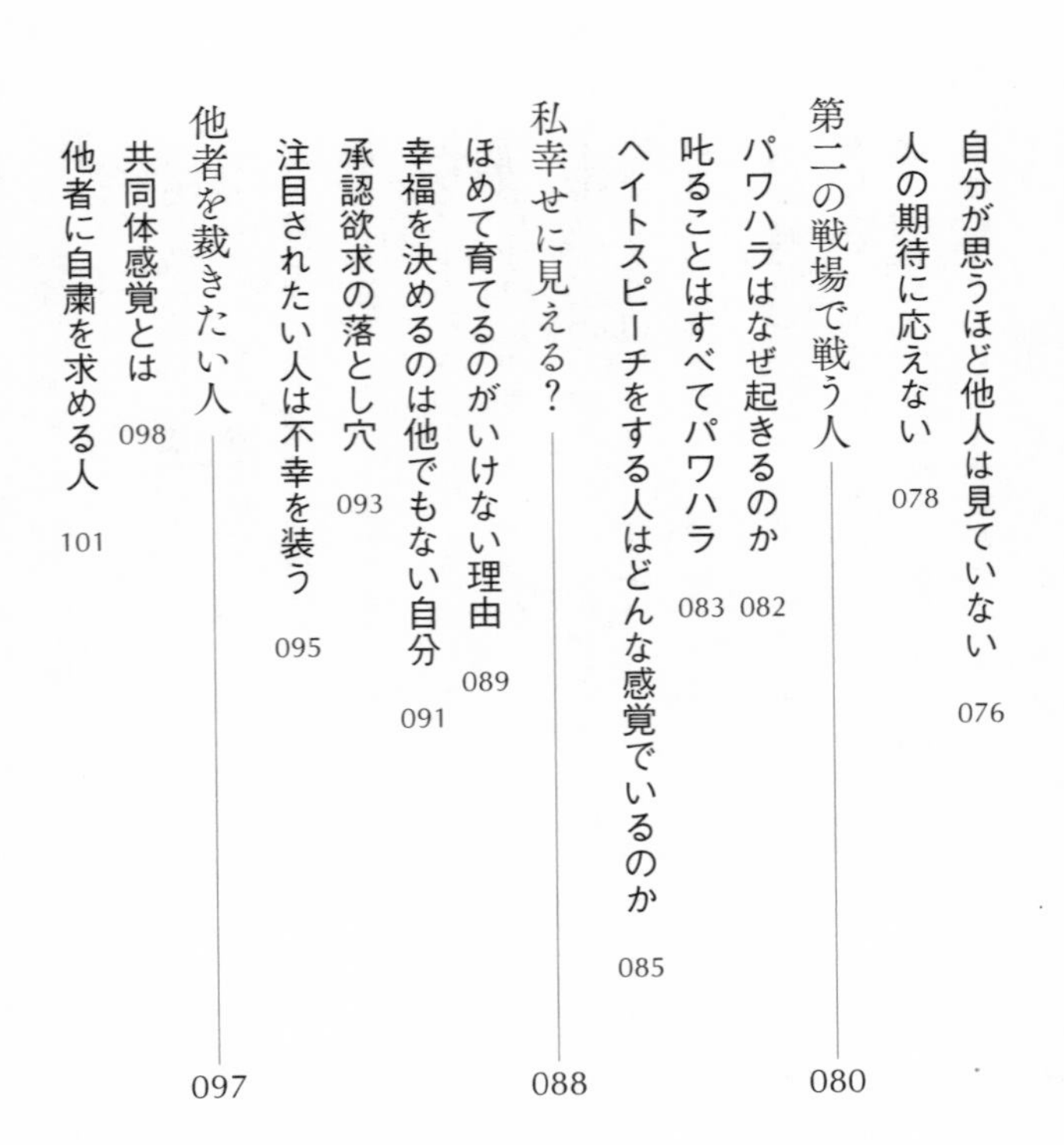

第2章 「生きる」とは

第3章 「愛する」とは

第4章 「働く」とは

はじめに　これからの時代をどう生きるか

先が見えない人生に希望を

　今の時代、先が見えないことを不安に思っている人は多いでしょう。しかし、本来、先は見えないのです。それなのに、見えると思っているのです。なぜ、そう思ってしまうかといえば、見えないと不安だからです。

　これから先起こることが何もかも決まっていたり、それを知っていたりすれば、生きる意味はないといっていいくらいです。意味があるかどうかはともかく、先のことがすべて見えるようではつまらないでしょう。

旅に出る前からその旅で起こることがすべてわかっているのであれば、旅をする意

味はありません。旅に出かける前には計画を立てます。もちろん、何の計画も立てないで旅に出る人もいるでしょうが、少なくとも、最初にどこに行くかを決めなければ旅は始まりません。しかし、計画を立ててみても、旅先では思いもかけないことが起こります。旅先で起こることが困難なことばかりであれば、旅は楽しいとは思えないでしょうが、困難なことばかり起こるわけではありません。

何が起こるかがすべてわかっているわけではない。困難なことも起こるかもしれないが、困難なことばかりではないだろう。たとえ、困難なことが起こってもその困難を何とか切り抜けられるだろう。そう思えるからこそ、旅は楽しいのです。

不安を直視して生きる

新型コロナウイルスのために生活をこれほどまでに変えなければならないことになるとは誰が予想していたでしょうか。世の中がこれほど大きく変化したと感じたのは、二〇一一年の東日本大震災の後、とりわけ原発事故を経験して以来のことです。

もうコロナウイルスは終息したと思ってすっかり元の生活に戻ってしまった人もい

ますが、前のような生活を送れるまでにはこれから何年もかかるかもしれません。この先どうなるか誰にもわかりません。もちろん、一日も早く終息するに越したことはないのですが、失われたことを嘆息するのではなく、今何ができるかを考える必要があります。**何もかも元に戻るまで待っているわけにはいかないからです。**

今はウイルスに感染していなくても、いつ何時感染するかもしれず、その上死ぬかもしれないという不安を抱えて生きているのですから、これまでの人生で困難なことに出くわしても何とか切り抜けてきた人であっても、これからの人生にはもっと怖いことが待ち受けているかもしれません。

旅の途上で事故や災害に遭うかもしれませんが、何が起こるかわからないからといって旅に出ることを止める人はいないでしょう。人生も同じように考えることはできないでしょうか。

人は誰もが病気になり老い、そして必ず死にます。そのような苦しみを経験し最終的には死ぬのであれば、一番の幸福は生まれてこないことだと古代ギリシア人は考えました。彼らによれば、この苦しい人生の中に生まれてきてしまったのであれば、次に幸福なことは、生まれてきた以上、できるだけ早く死ぬことだということになります。

しかし、このように考えるのは間違っています。なぜなら、生きることの目標は死ぬことではないからです。人は必ず死にますが、その死に至るまでの過程をどう生きるかが問題です。困難な出来事に遭うことがあるとわかっていても旅に出るのを思いとどまることはないのと同じで、人生が苦しいものであることがわかっていても、そのことは生きるのをやめる理由にはなりません。

旅においても人生においても、そして目下直面している感染症の危険の中でも、困難なことは何も起こらないと考えることはできません。自分だけは決して感染しないというような根拠のない楽観主義の中で生きるのではなく、**いつ何時感染するかもしれないという危機感を持って生きるしかありません。**

今は決して安全ではありません。その意味で安心して生きることはできませんが、不安になって当然な状況においては、その不安から目を逸らすのではなく不安を直視して生きていかなければならないのです。

根拠のない楽観は私たちを幸せにしない

コロナウイルスに限らず、病気を制御することはできません。どんなに健康に気遣っていても、病気になる時はなるということです。そこで、自分だけは病気にはならないという根拠のない楽観をするのではなく、むしろ最悪の事態を想定しておくことが必要です。

アウシュビッツの収容所では、一九四四年のクリスマスと一九四五年の新年との間に、いまだかつてなかったほど多くの人が亡くなりました。**原因は過酷な労働でも、飢餓でも、伝染病でもありませんでした。**クリスマスには休暇が出て、家に帰れるだろうという希望に身を委ねた囚人の多くが、クリスマスに何も起こらなかったので、落胆し、力尽きて倒れたのです（フランクル『夜と霧』）。

クリスマスには帰れるかもしれないという希望を持った人が実際には帰れないとわかった時の落胆はさぞかし大きなものだったに違いありません。

私が大学院生だった時、私の母が脳梗塞で入院しました。当時、私はこの病気についての知識がまったくなかったので、若い母親がこのまま死んでしまうなどということは少しも考えていませんでした。母は半身が麻痺して右手を自由に使えなくなっても、孫が生まれたら左腕で抱くから大丈夫だというようなことを、まだ結婚していなかった私に笑いながら話していました。

ところが、私の予想を裏切って入院して一月になろうとしていた時に再発作を起こしました。それからは母の容態はどんどん悪くなっていき、肺炎を併発してからは意識を失い、ついに亡くなりました。その時、私は人生が無常であること、**この人生には願っても願い通りにはならないことがある**ことを知りました。

もちろん、子どもの頃から何でも自分の思い通りになったという人がいれば、よほど親から甘やかされて育ったに違いありません。大抵の人は親に何かをほしいといっても断られたでしょう。親にかまってほしいのに、妹や弟の面倒を見ないといけないので「後で」といわれ、その「後」はなかったという経験をしたでしょう。

それでも、今は願いが叶わなかったけれど、「次」の機会には自分の願いが叶ったことはありました。しかし、母の回復を願って懸命の看護をしましたが母は亡くなり、「次」がくることはありませんでした。

明けない夜もある

先に何が起こるかは誰にもわからず、未来を自分の思う通りに制御することはできません。**今だけが現実であり、これ以外の現実を求めても意味がない**ことを、大学には行かず母の病床で一日の大半を過ごしていた私は知りませんでした。夜明け前が一番暗いとか、明けない夜はないという言い方がされることがありますが、そもそも夜明けがこないことがあることをわかっていなかったのです。

いつ病気になるかわからないという不安、目下、病気の人は一体いつ治るのかという不安と共に生きなければなりません。そもそも病気は治らないかもしれないのです。それでは、病気になったら絶望するしかないかといえば、そうではないでしょう。

楽観的になったからといって、病気に感染することを防ぐことはできません。それでも、**いつ何時感染するかもしれない状況の中で「今」をどう生きるかを決めることはできます。**

トゥキュディデスが古代ギリシアのアテナイを襲った疫病について詳細に書いています（『歴史』）。健康だった人も何の前触れもなく病気に倒れ、アテナイの三分の一のています。

人が亡くなったといわれています。自分自身も罹患したトゥキュディデスはこういっています。

「もっとも恐ろしいのは病気に罹ったと知った時の落胆だ」

人々はこの病気についていろいろなことを知っていたので、絶望し、病気に抵抗する気力を失ってしまったのです。

しかし、それでは絶望しないで希望を持ちさえすれば感染しないのかといえばそうではありません。希望を持てば、感染しないわけではないからです。

むしろ、先にも見たように、根拠のない希望を持っていると、それが実現しなかった時の絶望感が人を打ちのめしてしまいます。

ペストの時代に人々は絶望とどう向き合ったのか

ペストが猖獗をきわめた十六世紀後半から十七世紀にかけてのイギリスでは、幸福な人間はペストに罹らない、心が幸福な状態であれば病気は避けられると信じられていました。

不屈の胆力と精神力があれば感染を防ぐことができ、意志の力で病気を治せると思う人は、コロナウイルスが蔓延(まんえん)している今も多いです。福島で原発事故があった時も、放射能は恐れるに足らないというようなことをいう人はいました。

作家のソンタグは、現代は、病気を心理学的に説明することを偏愛し、「心理学を持ち出しさえすれば、病気のような人間が実際にはほとんど、あるいは、まったくどうすることもできない経験や出来事を制御できると思うらしい」といっています(Susan Sontag, *Illness as Metaphor and AIDS and Its Metaphors*)。

しかし、トゥキュディデスが「もっとも恐ろしいのは病気に罹ったと知った時の落胆だ」という時、病気が治癒しないかもしれないことを知った時に感じる落胆、失望、絶望以上のことを考えているように思います。

病気が治癒しないとしても、なお人は絶望しないで生きていけるのか。生涯一度も病気にならない人はいません。病気に罹患しても服薬したり、手術を受けたりして、危機を切り抜けても、最後には人は死にます。そのような人生であっても希望を持って生きることはできるのか。考えなければならないことは多々あります。今、一つだけ指摘しておくとすれば、母の病気を制御することは私にはできませんでしたが、母の病床で過ごした時にわかったことがあったのです。

それは、母の病床で過ごしている時には、その過ごしている「今」のことしか考えてはいけないということです。このことについては、後に私自身が病気で倒れた時にも思い当たりました。以後、一度も考えが揺るがなかったわけではありませんが、それでも、**一度、「今」のことしか考えてはいけないと知ってしまうと二度と元に戻れなくなりました。**後に問題にしますが、母の病床で過ごしていた頃はまだ漠然と将来どう生きようか考えていました。人生には自分の努力で何とかできることは多い。それなのに、最初からどうにもならないと諦めてしまうことは問題だ、と。

それでも、母の死を経験して自力ではどうすることもできないことがあると知った私は、母の遺体と共に帰宅した時、私の前に敷かれていると思っていたレールから音を立てて脱線しました。

本来あるべき人生に戻ろう

順風満帆な人生を送っている人であれば、これからの人生のことを考えて不安になったり、人生が有限であることを知って絶望するというようなことはないでしょう。そのような人でも病気になると、これからどんな人生を送ろうか漠然と考えていたことが実現しないのではないかという恐れに囚われます。もちろん、誰もが最初はすぐに健康を取り戻せると思うでしょう。どれほど重体であっても、回復の見込みがほとんどないとわかっていても決して自分は死ぬことはないと思っています。だから、生きていけるのです。

それでも、自分の行く手に死があることを一度知ってしまうと、若い人でも、人生の意味について考えないわけにはいかなくなります。自分が病気になった時だけではありません。家族が病気になった時も同じです。

しかし、このようなことについて考える機会がなかった人は、若い人のみならず年のいった人でも、これからの人生が何の問題もなく続いていくと信じて疑うことはありません。

もちろん、**人は誰もが最後に死ぬということを知っているはずなのですが、自分だけは死なないとどこか思っている人の方が多いかもしれません。**

ところが、コロナウイルスが蔓延する今、誰もが可能的に病者になったといえます。つまり、今は感染していなくてもいつ何時感染するかわからないという状況に置かれると、自分が病気になるとは考えたこともなかった人でも、もう既に自分が病者であると考えてしまう人はいるでしょう。

他方、自分だけは決して感染しないと固く信じ続ける人がいるのも本当です。そのような人は安心できる情報を探し求めます。そして、病気について過剰な心配をしている人を貶（おとし）めます。

病気になった人は、こんな大きな病気になったのだから、これからは生き方を変えてみようと思います。しかし、そう考えた人でも無事退院し日常生活に戻ると元の木阿弥（もくあみ）になってしまうということはいくらでもあります。このことが引き起こす問題については後で見てみましょう。

誰もが病者になりうる時代

ともあれ、**私たちが目下病気に罹っている状態であるとするならば、病気と付き合っていくしかありません。**

これから先どれぐらいこれまでとは違う生活をすることが必要なのかは誰にもわかりません。ですから、初めからあまり力を入れすぎないことが大切です。今の状態が一月で終わると考えていれば、一月では終わらず、さらにまた外出自粛が求められるようなことがあればがっかりするでしょう。

一日も早く終息してほしいと願わない人はいないでしょうが、今の生活はやがて前のような生活に戻るために耐え忍ばなければならない仮のものではありません。今だけが与えられた現実なのです。入院している人であれば、入院している今が自分に与えられた現実だと考えるということです。今は退院するまでの仮の生活だと考えていると、入院生活はつらいものになります。

コロナウイルスが終息したからといって、元の生活に戻らなくてもいいと私は考えています。コロナウイルスが今後どうなるかに関わりなく、本来あるべき人生とは何かを考える機会を与えられたと考えたいのです。コロナウイルスが終息したからといって、また元の人生に戻る必要はなく、むしろ戻ってはいけないのです。

作家のパオロ・ジョルダーノが「大きな苦しみが無意味に過ぎ去ることを許してはいけない」といっているのはその通りだと思います(『コロナ時代の僕ら』)。

どんな苦しみもそれを経験した時にそこから何かを学びたいと思って私は生きてきました。実際、多くのことを学ぶことができたと思います。しかし、私は「大きな苦しみが無意味に過ぎ去ること」を許せなかったのではありません。

私が経験したことはたしかに苦しみではありました。それでは、病気から回復した後、苦しくはなくなるのかというとそうではありません。仏教の教えによれば、私たちが生きていることがそもそも苦なので、これやあれやの**苦しみの経験を切り抜けたからといって、生きることそのものが苦しくなくなるわけではない**のです。

人生は有限であると受け入れる

病気になると、二つのことに気づきます。

まず、人生は有限であるということです。

哲学者の三木清が次のようにいっています。

「常ないものを常あるものの如く思い、頼むべからざるものを頼みとするところに、人生における種々の苦悩は生ずる」（「親鸞」『三木清全集』第十八巻所収）

人生は無常であり人は必ず死ぬのに、その事実を受け入れず、常ではないものを常あるものと思うところに人生の苦しみの原因があります。今、幸福の絶頂にあると思っている人はいつまでもこの幸福が続けばいいのにと思います。この幸福はずっと続くだろうと思っていたら、自分や家族が病気になった時、自分や家族の死に直面した時に絶望することになります。

これが三木がいう「常ないものを常あるものの如く思う」ということです。人生は有限であることを受け入れれば、生きることが苦ではなくなるかといえば、そうではありません。しかし、人は死すべきものであり、人生は有限であることを受け入れるところから始めるしかないのです。

未来は「未だ来ない」というよりは端的に「ない」のです。その未来を自分が思うがままに制御することなど本来できません。

今日は苦しいけれども明日になれば何とかなると明日を頼みにしても、明日という日はこないかもしれませんし、自分が期待するような日になるとも限りません。

三木はこんなこともいっています。

「闇の中へ差し入る光は最も美しい」(「西田先生のことども」『三木清全集』第十七巻所収)

しかし、闇が光と比べて貫くないわけではありません。たとえ、明けない闇の中を生きることになるとしても、どこからも光が差し込まなくても「今」だけが与えられた現実であり、この現実をどう生きるかを考えていくしかありません。

幸福に「なる」のではなく、幸福で「ある」

今日の幸福を明日にまで永続させることもできません。自分が望むことが必ず実現するようにと願っても、明日という日に一体何が起こるかは誰にもわからないのに、まして、きっと明日は光が差し込むと期待してしまいます。

これが三木が「頼むべからざるものを頼みとする」ということの意味です。どうなるか誰にもわからない未来を頼みにはできないことを知れば、明日という日がくるのを待たないで、今日この日に幸福で「ある」ことだけを考えられるようになります。

幸福に「なる」のではなく、幸福で「ある」といったのには理由があります。「過程」である成功は、明日を待ち明日を頼まなければなりません。つまり、何かを達成しなければ成功しないということです。私は母の病床で漠然と将来自分がどう生きようか考えていた時、まだ人生で成功することを考えていたのでしょう。

成功とは違って、幸福は明日を待たなくてもいい、「今ここで」幸福で「ある」ことができるということです。三木が、幸福は「存在」であるといっているのはこういう意味です。

今ここにある、あるいは今ここにしかありえない幸福を明日に永続させようと思わなくてもいいのです。もしも明日という日がくれば、明日という日に幸福で「ある」ことができるのです。

だからこそ、今日という日を今日という日のためだけに生きること、生きられることに喜びを感じることができるのです。

大切なことはそれほど多くない

次に、大切だと思っていたことのほとんどすべてが重要ではないことに気づきます。コロナウイルスの感染が広まる中、人と自由に会うことができなくなりました。そんな中、自分にとって、真の友は誰なのかを考えたのではありませんか。同居する家族との関係にも改めて目を向ける機会になった人もいるでしょう。

生きるために絶対必要だと思っていた仕事ですら、見直すことを余儀なくされました。もちろん、生きていくために働かなければならないという現実はありますが、自分にとって大切なことは「幸福」であって、働くことそれ自体ではなかったことに気づいた人は多いでしょう。

明日のこともわからないのであれば、今日苦しくてたまらない人生を生きることに意味はありません。本当に、これが自分のしたかった仕事なのか考え直さなければなりません。

自分の人生はいつまでも続くのではなく、明日という日がくることすら自明ではなくなることを知ると、三木清の言葉を使うと、輝いていたと思っていたものが光沢がないものであり、貝だと思っていたものがただの石であることを発見するのです（『人生論ノート』）。

今は世界中の人が同時に病気になったようなものです。はたして、何が生きていくにあたって大切なことなのかを考え直すきっかけが与えられたと考えたいのです。そう考えることができれば、大きな苦しみが無意味に過ぎ去ることはなくなります。

「われらにおのが日を数えることを教えて、知恵の心を得させてください」（『詩篇』）

コロナウイルスが流行する今、人はいろいろなものを数えて生きています。感染者数や死者の数。危機が過ぎ去るまで後何日あるのか、等々。ジョルダーノはいいます。「詩篇はみんなにそれとは別の数を数えるように勧めているのではないだろうか。われらにおのが日を数えることを教えて、日々を価値あるものにさせてください——あれはそういう祈りではないだろうか」（ジョルダーノ、前掲書）

私は、**数えることすらしない人生があってもいいのではないか**と思うのです。二つの意味があります。

残り時間を数えない生き方

まず、「後」はなく、「今」のこの人生を生きることだけが与えられた現実だということです。

次に、数えることをやめさえすれば、「今ここ」が永遠になるということです。

バスケットボールの世界では、残り一分を「永遠」という、と伊坂幸太郎の小説の登場人物は語っています（『逆ソクラテス』）。

時間の中でプレーしていると思えば、試合終了までの時間がわずかしかない時、もう何をしても無駄だと諦めてしまうかもしれません。勝つとわかったら何もしないでボールをパスするだけの選手たちを見たら、試合には勝ててもはたして嬉しいのだろうかと思います。

反対に、時間を気にかけず懸命にプレーしている選手たちを見れば、たとえ負けることになっても、観客は感動しますし、選手たちも負けを受け入れることはできるでしょう。

このようなプレーができるためには、最後の一分を数えてはいけないのです。その一分を「永遠」だと思えれば、残りが一分を切っても勝敗を決するプレーができるかもしれません。

人は一分、二分ということではなくても、後何年生きられるだろうかと残された人生の長さを数えてしまいます。

プラトンは書きながら死んだと伝えられていますが、私は本を書く仕事を引き受けた時、はたして書き上げられるのかと不安になることがあります。しかし、そんなふうに数えてしまうと何もできなくなってしまいます。

永遠というのは無限に引き延ばされた時間ではありません。精神分析学者のフロムが次のようにいっています。

「愛、喜び、真理を把握することの経験は時間の中ではなく、今、ここに起こる。『今』と『ここ』は永遠である。即ち、無時間性（Zeitlosigkeit）だ」（Fromm, *Haben oder Sein*）

「バスケの最後の一分が永遠なんだから、俺たちの人生の残りは、あんたのだって、

余裕で永遠だよ」（伊坂幸太郎、前掲書）

たとえこれまでの人生で取り返しのつかない失敗をした人であっても、人生をやり直せないということはないのです。**数えるのをやめた時、人生は変わります。**

善悪を超えて他者と真に結びつけるか

人は「ただ」病気になるのです。コロナウイルスには誰でも感染します。ところが、感染した人が社会的制裁を受けることが起こっています。どんなに注意しても感染を防ぎようはないはずなのですが、自粛しないで外を出歩いたから感染した、感染は自己責任であると非難する人がいるのです。

そこで、感染した人は謝罪しなければならないことになります。病気は古来、悪の隠喩であり、医療者のみならず社会全体が病気と「戦う」という軍事的な比喩が用いられてきました。

コロナは戦う対象ではない

そのような考えでは、病気になった人は病気に負けたことになります。愛する人をコロナウイルスで亡くした人が、コロナウイルスが憎いと話しているのを聞いたことがあります。このように、**病気を憎むことや病気を制圧するべき「戦う」相手と見なすことは、やがて病気のみならず、病気の人にもスティグマ（汚名）を着せることになります。**ウイルスだけではなくウイルスに感染した人にもスティグマが着せられると、感染した人は憎しみの対象になり、感染したことで責められます。治癒しても感染した人は謝罪しなければならないことになります。

感染した人を責める人は、自分だけは感染しないと思い込んでいるように見えますが、その保証はどこにもありません。感染しないと思い込んでいる人が感染したら、一体どうするつもりなのかと思ってしまいます。

このような人は自分を安全圏において考えます。自分を当事者とは考えず、評論家のように起きていることを客観的に、あるいは、他人事のように考えます。国家を守るためには血を流すことを覚悟しなければならないというような人は自分や家族が傷ついたり殺されたりするなどとは考えたこともないのでしょう。

他者に「共感」することもできません。他者に共感できる、つまり、他者の立場に自分を置くことができる人であれば、他者を責めることはできないはずです。コロナウイルスに感染した人を責めることがおかしいということは、良識のある人であればわかることでしょう。

分別しない生き方

しかし、そのような人でも無辜の人が殺されるという事件があった時、自分はそんなことは決してしないと殺人を犯した人を強く非難します。

もちろん、普通はどれほど憎い人がいたとしても、人を殺したりはしません。しかし、同じような状況に置かれた時に、自分ならどうするだろうかと殺人を犯した人の立場に身を置いて考えると、自分は決して殺人をしないと言い切れる人はいるでしょうか。

仏教では「分別」という言葉を使います。あらゆる争いは自分と他者を分別することから起きます。だから、**自分と他者を分別してはいけない**のです。そうはいっても、これは容易なことではありません。

両親に愛されすくすくと育った子どもが突然非行に走った時、「これが自分の息子だとは思えない」といった父親の話を聞いたことがあります。親なのに子どもを受け入れることができないのは悲しいことです。この親は子どもを「分別」したのです。

相手をそのまま受け入れる心（大悲）が働いている場を仏教では「浄土」といいます。もとより、この世界で浄土を実現することは難しいのですが。

殺人者を排除することは容易です。死刑はそのための制度です。アドラーの「共同体感覚」はドイツ語でMitmenschlichkeitといいます。人と人（Menschen）とは結びついている（mit）のであり、対立しているわけではないと考えます。人と人とは「仲間」（Mitmenschen）であるという意味です。

しかし、この人と人との結びつきは自動的に成立するわけではありません。**仲間は自分と考えを同じくする仲のよい人という意味ではない**のです。自分と相容れない考えを持っている人や今例にあげた殺人者もその中に含まれます。そうなると、その人と自分が結びついていると考えることは容易ではありませんが、そのような人をも仲間に含めた共同体こそ「浄土」なのです。

親が自分の子だとは思えない子どもであっても、その子どもと親は結びついているとアドラーは考えています。人と人は結びついているという意味での共同体感覚という思想を、アドラーが第一次世界大戦で軍医として参戦していた時に思いついたことに、私は驚かないわけにいきませんでした。戦場では敵同士が戦うものだと普通は考えられるからです。

「共同体」や「浄土」は一致団結とか絆という言葉から想像されるようなものではなく、それらが成立するためには意識的な決断が必要です。自分と考えが一致する人とだけ付き合っていくようなことは誰でもできます。存在を到底受け入れることができないと思う人とどう関わっていくかを考えなければならないのです。

どうすれば善悪を超えて相手を受け入れることができるか、どうすれば相手と自分は結びついていると思えるのか。まず、**自分が正しいと思って相手を分別しようとしていることに気づく**ことです。

会えなくても人と結びつく方法

次に、同じ状況に置かれた時に、自分は絶対にそのようなことはしないとは言い切れないことに気づくことです。親が子どもを殺害するという悲しい事件が起こることがありますが、どんなことがあっても親が子どもを殺めることはあってはならないというだけですますことはできません。

さらに、容易には受け入れることができないことを相手がしたとしても、そうすることのきっかけを自分が作ったのではないかと省みることです。子どもが突然非行に走るということはありえないのです。よい子であってほしいと親が願ったことが子どもを追い詰めたのです。子どもは初めから問題を起こしたりしません。親の期待に添えないと思った時に反抗するのです。

このようなことを認めることは難しいかもしれませんが、善悪を超え、つまり、**理想とは違っていても、生きていることをありがたいと思う**ことが出発点です。

コロナ禍で、人と以前のように会えなくなったために、自分にとって本当に大切な人が誰かを考えられるようになったのではないでしょうか。表面的に仲良しであることには何の意味もありません。

このような状況の中でも本当の友人であれば、たとえ会えなくてもその結びつきが断たれることはないでしょう。コロナウイルスに限らず、病気になった時に人が希望を持てるとすれば、それは人と結びついていると感じられるからです。

三木清は「私は希望を失うことができなかった」といっています。希望は他者から与えられるものだからです。たとえ自分が絶望したとしても、自分を支えてくれる家族や友人はいます。

そのような人の存在に気づいた時に、自分の価値を改めて知ることになります。自分が病床で横になっていても病気のことを知って見舞いにきてくれる人、手紙やメールを送ってくれる人がいます。自分も友人や家族が病気で倒れたと聞けばとるものもとりあえず病院に駆けつけるでしょう。どんな状態であっても、生きていることを知ればありがたいと思えます。

そうであれば、自分についても同じように考えていけない理由はありません。何もできなくても、**自分が生きているということが他の人にとって喜びであり、生きてい**

ることで、他の人に貢献できるのです。病気の時でなければこのようなことになかなか気づくことはできないでしょう。

このように考えることで夜が明けるのを待たなくても、たとえ夜が明けなくても、つまり未来を待たなくても、今ここで幸福であることができるでしょう。夜が明けないのに、つまり、苦しみの最中で幸福であることができるのか。少しずつ考えていきましょう。

第1章

「私」とは

差し迫った危機の中でどう生きるのか

「こんな時代だから」という言い方がよくされるようになりました。こんな時代だからとしたいことがあっても控えなければならない、こんな時代だから心躍る嬉しい経験をしても、それを手放しで公言してはいけないというような空気を感じることがあります。我慢しなさい、好き勝手は駄目、贅沢は駄目と、互いを監視していた時代はきっとこんなふうだったのだろうかと思ってしまいます。

一人の努力だけでコロナウイルスの感染拡大を防止することはできませんから、皆の協力が必要です。**問題は、その協力を強制する力が働くことです。**各自が自発的に自分ができることをしていけばいいのに、同調圧力は非常に強く、感染予防のためというよりは、マスクをしていなければ人から責められるからという理由でマスクをしている人が多いです。実際、マスクをしていない人を責める人はいます。休業要請に応じない店に電話をかけるなどして店を閉めることを強いる人もいます。

他方、コロナはただの風邪だとまったく意に介さない人がいます。そのような人は感染しないために最善の注意を払っている人を見下すような言動をします。アドラーが「あらゆる悩みは対人関係の悩みだ」といっていますが、**本当に怖いのはコロナウイルスではなくて人だと思う経験をした人も多いでしょう。**

コロナウイルスのために多くの問題が起こってきているのではありません。前からあったけれども見えていなかった問題が今一気に顕在化してきたのです。

先が見えないのは、今に始まったことではない

昔、私は川の近くにある家に住んでいました。夜遅く家に帰る時、見る間に霧が足元から立ち込めてきて、つい今しがたまで明かりが点っているのが見えていた我が家が深い霧に包まれ見えなくなりました。それどころか、自分も深い霧に包まれてしまいました。

今の時代は絶壁から離れていっているつもりなのに、実際には深い霧に包まれ絶壁に向かっているかもしれません。もちろん、レミングの集団のように絶壁から海に落ちていくことを望む人はいないでしょう。だからこそ、行き過ぎに見えることがあっ

ても、皆が懸命に霧から抜け出る努力をしているのです。

先が見えないのは、今に限ったことではなくいつもそうなのですが、今はことのほか深い霧に覆われているか、森の中に迷い込んでしまっているように見えます。

デカルトは森の中で迷った時には立ち止まってはいけないといっています（『方法序説』）。ともかく、歩き続ければ、森から出られるというのです。しかし、歩き続ければ森が切れるという保証はありません。

今どこにいるのか、何が起こっているのかわからないような状況では、とにかく立ち止まらなければなりません。

平時であっても、実は森の中で迷っているのとさほど変わらないのです。自分は今は迷ってはいない、先の方まで見渡せると思っているからこそ、人生設計もするのです。しかし、自分は今どこにいるのか、どこに向かっているかはわからないはずなのに、そのことにすら気づいていない人が多いように見えます。先に未来はないと書きましたが、**明日のことですら、前日に予想していた通りになったことは一度とてない**でしょう。まして、一年後に何が起こるかがはっきりわかっている人は誰もいないでしょう。

ですから、平時であれ非常時であれ、生き方が大きく違うわけではありませんが、差し迫った危機の中で平時の生き方を見直し、考えを深めていかなければなりません。何を見直せばいいのか。

一つは、対人関係です。これについては先にも少し触れましたが、義理や社交で会っていた人は切ればいい。本当に会いたい人であればどんなことがあっても会うでしょうし、たとえ、対面できなくても、そのような人であれば強く結びついていると感じられるでしょう。

次に、価値観です。生産性や経済的有用性の観点から価値があるとされてきたことが本当に価値があるのか考えなければなりません。いずれも、これから考えていきましょう。

決めるのは「自分」と覚悟を持つ

今の状況の中で一番大切なことは「私」を見失わないということです。何を信じていいかわからない、誰を信じていいかわからないというのも森の中で迷っている状態と同じです。**皆が正しいといっているからといって、正しいとは限りません。**私の理解では、哲学というのは常識的な価値観の自明性を疑ってかかることです。

迷った時には人にたずねてもいいでしょう。しかし、無批判に人に従うのは間違いですし、迷っている時にはそもそも頼れる人はいないかもしれません。判断を誤ってこちらの方向に向かって歩けばきっと森を抜けられると思っていたところ、いよいよ迷ってしまうことがあります。迷ったらその時点で立ち止まり、どちらに向かうかを再度決めればいいのです。

一度、決めたからといってその決定に固執すれば、いよいよ迷うことになります。固執しないためには、決めたことが間違いだったことがわかれば、速やかにまず立ち止まらなければなりません。

以上のことは、人生の進路を決めることにも当てはまります。これからどんな人生を生きるかは、自分の人生なので、自分で決めなければなりません。人からいわれて行動を決めるのではなく、また、**人からどう思われるかを気にしないで、何ができる**

かも自分で決めなければなりません。誰かの助言に従って人生を生きてみても、うまくいかないことはあります。しかし、誰かの考えに従ったという責任を免れることはできません。自分で決めなかったことを棚に上げて自分に助言した人の責任にしても意味がないことです。

では、なぜ自分で決められないのか、どうすれば「私」を確立できるかを考えてみましょう。

「人は人　吾はわれ也」

自分で決められるようになるためには、人と比べるのをやめることが必要です。他の人の考えを知ることは独断に陥らないために必要なことですが、**他の人の考えと自分の考えを比べている限り、いつまでも自分で決めることはできません。**自分で決められないことを正当化するために、人に考えをたずねるといっていいくらいです。

比べるのは考えだけではありません。例えば、友人が就職したとか結婚したとか子どもが生まれたと聞いた時に、心穏やかにはいられなかったり、焦ったりする人がいますが、そのような人は自分の人生と他の人の人生を比べているのです。

人は不幸なラブストーリーを好む

しかし、早く結婚するかしないかは、喩えてみれば、桜の開花のようなものです。早く咲く桜もあれば、遅く咲く桜もあります。開花が遅い桜が早く咲く桜を見て心穏やかにはいられないことなどないでしょうし、焦ったところで開花が早まるわけではありません。個々の桜の意志とは関係なく、気候条件が整えば開花します。

結婚の場合は、相手が必要です。結婚したいと思っても相手がいなければ結婚できません。桜の場合は気候条件が整えば開花しますが、結婚の場合は、自分が結婚したいと思っても、その自分と結婚したいと思う人と出会えなければ、結婚できません。結婚するという強い意志を持つことはできますが、自分と結婚しようと思う人と出会えるかどうかは、自分ではコントロールできないのです。

結婚についてはこのような難しさがありますが、結婚することを願い、結婚するためにできることがあるのなら、それをしなければならないでしょう。もっともそれは結婚するために必要な外的な条件を整えるというような意味ではありませんが。

というのも、結婚したいといいながら結婚できない理由ばかりあげる人がいるからです。このような人は**結婚したいといいながら本当は結婚したくない**のです。アドラーは、「人は不幸なラブストーリーを好む」といっています（『人生の意味の心理学』）。友人が結婚したために不幸になったということを聞けば、自分は結婚しないでおこうと決心できます。結婚しないという決心を固めるために、「不幸なラブストーリー」を身の回りで探し、また、自分の知り合いでも何でもない芸能人のゴシップを追いかけるのです。

シンデレラストーリーも好まれます。それに憧れるわけではありません。現実からかけ離れたストーリーを知って、自分には結婚できないと思うためです。

結婚するためには然るべき人と出会わなければなりませんが、出会いがないという人がいます。保育所に勤めているという人が職場には男性がいないというのを聞いたことがあります。今は男性の保育士も増えてきていますが、職場の男性は、子どもたちを保育所に送り迎えするバスの運転手さんだけだというようなことをいうわけです。出勤途上で出会う人もいるのではないかといってみても、聞く耳を持ちません。このような人には結婚できないのではなく、結婚したくないのだといってみたくなります。

なぜ他人の幸福に焦ってしまうのか

ともあれ、なぜ友人が結婚したり子どもが生まれたことを聞いた時に心穏やかにいられなかったり、焦ったりするのか考えてみなければなりません。その理由は、まず、友人の結婚、出産を自分と関係づけるからです。

今の世の中自分と関係づけなければならないことはたくさんあります。例えば、戦争です。異国で起こっている戦争のニュースをテレビで見た時に、これは他国で起きている戦争であって、自分とは関係がないと思う人がいます。そのような人は戦争を対岸の火事、他人事と見て、実際には自分のすぐ間近に戦争の危険が迫っていることを知らないのです。**戦争は勇ましい掛け声とともに始まるのではなく、ほとんどの人が気がつかないままに静かに始まってしまう**ものです。

そのように、自分と関係づけず対岸の出来事だと思っていたことが、自分の人生に大きな影響を与えることがあります。

それと比べれば、友人の結婚は自分とは本来何も関係がありませんし、戦争とは違って、友人が結婚しようとしまいと、そのことは自分の人生には何の関係もないといっても間違いありません。

自分に関係してくるとすれば、友人と自由に会えなくなるというような友人との交友関係のあり方が変わるかもしれないということくらいです。

結婚前であれば自由に行き来できたのに、結婚するとパートナーとの関係が優先されますから、結婚前は親しくしていた人であってもいつの間にか会う機会が減ってしまうことがあります。子どもが生まれるとなおさら会えなくなります。

しかし、友人であればたとえそうなったところで、**関係のあり方が結婚の前と後とでは本質的に変わるわけではありません。**しかし、結婚した後に友人との関係が変わり、会うことがやがて間遠になり、ついにはまったく会わなくなるということになれば、もともと友人との関係がそれほど大切なものではなかったのかもしれません。もちろん、大切な人であっても、自分をめぐる状況が変わると、それに従ってかつて大切だった人との関係も含めてあらゆる関係が多かれ少なかれ変わることはあるでしょう。

つまり、結婚がきっかけで関係が疎遠になるのではなく、二人がどちらも結婚しないまま友人として付き合っていても、遅かれ早かれ何かの問題がきっかけとなって疎遠になるということも大いにありえたということです。結婚は関係が疎遠になったことの原因ではなく、きっかけでしかありません。

まわりの目が気になる理由

次に、友人が結婚したり出産したりしたと聞いた時に、なぜ穏やかでいられないのか、また焦るのかといえば、友人が結婚や出産したという事実をただ自分と関係づけるだけでなく、そこに優劣を持ち込むからです。

つまり、友人と自分とを比べ、結婚していない自分が友人よりも劣っていると見なすのです。なぜ皆次々に結婚するのに、私は結婚する機会に恵まれないのかというふうにです。

結婚すれば結婚していない人よりも優れているわけではもちろんありませんが、もしも自分が結婚していない他の人よりも劣っていると思うのであれば、結婚すればいいのです。それでも結婚に踏み切らないとすれば、先に見たような出会いがないというようなわけがあるからだけではありません。

結婚すれば幸福になれるかどうかは自明でありません。結婚さえすれば、必ずその後の人生が順風満帆であるとは限らないということです。誰もが羨むような結婚をしても、将来の幸福が約束されるわけではありません。

結婚後、思いもかけないことが起こることがあります。勤めていた会社が倒産するというようなことです。結婚前は優しいと思っていた人が、結婚してからは暴力を振るうようになるということもあります。

反対に、親に反対され、誰からも祝福されないような結婚生活を始める人が不幸であるわけではありません。親が子どもの結婚に反対することはよくありますが、親が子どもの人生に責任を取れるとは思わないのです。親に反対されて自分が結婚したいと思っていた人とは別の人と結婚し、その後不幸になったと子どもが思った時に、そのことの責任を親に転嫁するかもしれません。

このような場合、親の勧めを受け入れたという責任が子どもにあるのは明らかですが、親のいうことを聞かずに、本来結婚したかった人と結婚していれば今頃幸せになれただろうなどと子どもからいわれたら、親はどんな責任を取れるというのでしょう。それにもかかわらず、親が子どもの結婚に反対する理由は、経済的なものであったり、社会的な地位だったりします。相手の収入や社会的な地位が親の望むようなものではないと親は子どもの結婚に反対します。

結婚を取り巻く状況が、結婚の幸福、不幸を決めるわけではありませんが、親も本人たちも結婚の外的な事情が結婚後の二人の幸福に大きな影響を及ぼすだろうと夫婦のどちらかあるいは両方がそのように考えるのです。

しかし、何があっても、二人が協力して困難を乗り切っていこうとすれば、結婚生活は幸福なものになるでしょう。

成功は「過程」、幸福は「存在」

要は、結婚したから、あるいは、子どもに恵まれたからといって、幸福になるのでも不幸になるのでもないということです。そうであれば、自分もまた結婚しないからといって不幸であるわけではないのですから、友人と比べる必要などないのです。

今は友人の結婚や出産を例に考えていますが、友人の結婚を羨むのになぜ結婚しないのかといえば、それには理由があります。自分も友人と同じように結婚して幸福になれたらいいのですが、そうなれなかった時に友人との競争に負けることになるのを恐れているからなのです。

結婚するしないを勝ち負けに結びつけるのは間違いだと私は思いますが、負けないためには結婚しなければいいと考えるのです。結婚しさえすれば私も幸福になれるのだという可能性の中に生きている限り、友人との競争に負けることはありません。

しかし、**結婚して幸福になれなかったからといって、友人との競争に負けたことに**

はなりません。そもそも競争するのがおかしいのです。反対に、結婚して幸福になったからといって、友人との競争に勝ったわけでもありません。

結婚を勝敗に結びつけて考える人は、実は、幸福ではなく成功のことを考えているのです。結婚したから他の人との競争に勝ったと思う人は、結婚を成功、あるいは成功の手段だと考えているのです。

三木清は成功と幸福を対置して、前者を「過程」、後者を「存在」だといっていることについては「はじめに」で述べた通りです。

成功するためには何かを達成しなければなりませんが、幸福は存在なので、何も達成していなくても、あるいは何かを達成するかしないかということとは関係なく、「今ここ」で人は幸福で「ある」ことができるという意味です。

競争から降りる

先にも見たように、まわりの人が結婚しようとしまいと、そのことは自分の人生には何の関係もありませんし、結婚したり出産したりすれば幸福になれるのに、自分は結婚していないし出産の経験もないので不幸だと思うのも間違いです。結婚するのであればまわりの人とは関係なくただ結婚すればいいのですし、結婚しないのであれば、結婚さえすれば幸福になれるのにとは考えず、ただ結婚しなければいいのです。結婚しなくても幸福な人生を送ることはできます。**幸福になるための条件などない**ということです。

京都にある哲学の道に哲学者、西田幾多郎の歌碑があります。そこにはこんな歌が刻まれています。

「人は人　吾はわれ也　とにかくに吾行く道を吾は行なり」

西田は後に京都大学の教授になり、西田哲学と呼ばれる独創的な哲学体系を構築、今日その名を知らない人はいないといっていい哲学者ですが、若い頃は高校の校風に反発して退学させられたり、そのため東京帝国大学の選科にしか入れなかったりしました。西田は「私は何だか人生の落伍（らくご）者となったように感じた」といっています。

人と自分を比べて、競争の中に身を置いて生きている人はいつも戦々恐々としており、たとえ競争に勝ったとしても、**いつも負けるかもしれないと思って心の休まる暇も**

ありません。西田の歌はそのような他者との競争から降り、たとえどんな目に遭っても、自分は自分が正しいと思う道を行くという決意表明であったに違いありません。

人生は競争から降りればそれほど苦しいものではなくなります。少なくとも他者と競い、そのことで感じる苦しみからは自由になれるでしょう。

偶然を運命にするのは「私」

オイディプスは、父を殺し母を妻とするという神託を受け、生まれてすぐに捨てられます。後にオイディプスはテバイの王になり、テバイにふりかかった災いの原因を探すべく父親殺しの下手人を見つけ出そうとします。ところが、自らの辿った人生を振り返ると、思いがけず自分が預言通り父を殺し母を妻としていたことを次第次第に知っていくことになります。オイディプスは絶望のあまり短剣で自らの目を刺し、盲目の身となって諸国を遍歴します。

オイディプス王は、定められた運命から逃げていこうとしながらも、決して運命から逃れることはできませんでした。

ソポクレスの『オイディプス王』を読むと、読者は彼が最後にどうなるかということをわかっているのに、王自身は自分の運命に気づいていないので、息詰まる思いがします。

はたして、私たちもまたオイディプス王と同じように、人生でこの先起こることはすべて決まっていて、もしもこれを運命と呼ぶなら運命から逃れることはできないのでしょうか。

運命はすでに決まっているのか

あるラグビーの大ファンからこんな話を聞いたことがあります。どうしても見たい試合があったが、その日はあいにく仕事があって試合をリアルタイムで見ることができませんでした。そこで、試合を録画しておいて、後日ビデオで試合を見ることにしました。家族には決して結果を知らせないでくれといって試合を観戦したのですが、いうまでもなく、どんなに懸命に応援しようとしまいとその試合の結果は決まっていたわけです。

それでも、当人は結果を知らないので、手に汗を握って応援をしました。人生もこのように未来に起こることが実はすべてが決まっているにもかかわらず、人がそれを知らないだけなのでしょうか。そうではないでしょう。**人生は録画された試合を結果を知らないで見ているのとは違います。**

しかし、これから先のことがすべて決まっているのであれば、努力しても甲斐がないことになりますし、そうであれば、生きることには意味がないと私は思うのですが、むしろ、未来が決まっていることを望む人がいます。

なぜなら、未来が決まっているのであれば、自分が選択する余地はないのですから、選択の結果生じることに責任というものも生じないからです。

災害などで行方不明になった家族の安否を気遣う人は無事であることを祈りますが、すべてが決まっているのであれば祈っても意味がないことになります。祈りによって未来を変えられるかどうかはわかりませんが、祈ろうが祈るまいが未来は決まっているのではなく、**祈る人は未来は決まっていないと考えているからこそ、祈るのです。**

偶然か運命か

『涅槃経（ねはんきょう）』に「盲亀（もうき）の浮木（ふぼく）」という言葉が出てきます。深海に棲（す）む巨大な盲亀が百年に一度だけ海面にその姿を現します。その時に、穴の空いた流木が浮かんでいて、たまたま亀がその穴に首を突っ込みます。それほど稀な偶然を表す言葉です。

深海に棲む亀が百年に一度海面に姿を現したのも、その時穴の空いた流木が海面に浮かんでいたのも、どちらも「偶然」です。亀と流木がその時その場にいあわせたのは「必然」ではなく、両者の偶然が重なったのです。

しかし、亀が流木の穴に首を突っ込んだことになったというこの出来事を運命と考えたかというとそうではないでしょう。他方、すべて起こることは決まっていて必然であれば、誰かと出会ったり何かの出来事に遭遇したことを運命と感じることもないでしょう。

哲学者の九鬼周造は運命について、次のようにいってます。

「偶然な事柄であってそれが人間の生存にとって非常に大きい意味をもっている場合に運命というのであります」（「偶然と運命」『九鬼周造随筆集』）

何かの出来事に遭遇し、そのことが人間の生存全体を揺り動かすような意味を持ったものと人が見なした時に、これは自分にとって運命だったと思うでしょう。

大きな事故や災害にあった時に、**その出来事が後の自分の人生に大きな影響を与えることになったと思うから、その時の経験がその人にとって運命になる**のです。

人との出会いの場合も同じことが起こります。もしもあの時あの人に会っていなければ、私の人生は大いに変わったであろうと思う出会いをしたことのある人は多いでしょうし、運命的な出会いだと思ってその人と結婚したという人もいるでしょう。

道ですれ違った人との出会いは必然ではありません。その時その場で出会ったかもしれませんが、出会わなかったかもしれない。その意味で偶然です。偶然の出会いが運命的であるためには、その出会いを運命的なものだと意味づけることが必要です。この人と出会ったのは決してたまたまのことではなく、この人に会わざるをえなかったと思えなければなりません。

しかし、このような意味づけが多分に恣意的であることはよくあります。恋愛がうまくいっている人は、運命の人に出会ったと考えます。誰か素敵な人に会いたいと願っている人は運命の人に会えることを望みます。

そのような人に出会えるかどうかを占ってもらう人もいます。もしも運命の人には出会えないという結果が出たら一体どう思うのかは、私にはわからないのですが。占いの結果を信じると、この先きっと誰か素敵な人に会えると希望を新たに持つ人がいるかもしれませんが、絶望してしまう人もいるでしょう。

誰か運命の人と思える相手に出会ったと思っても、そう思えるのはその人との関係がうまくいっていて、今は幸福の絶頂だと信じられる間だけです。

ある人が、次のような経験を語っています。これはアドラーが著作の中で報告している事例です。

運命を逃げ道にしてはいけない

ある時、ウィーンの劇場に行こうとしていた人が、たまたまその前に別のところへ行かなければならないことになりました。その用事を済ませ、ようやく劇場に着くと、劇場は焼け落ちていました。何もかもなくなったのに自分は助かった。このような経験をした人が、自分は何か高い目的へと運命づけられていると思うようになるのは容易なことだとアドラーはいっています。

問題は、このような人がその後の人生において、そのような期待とは違った結果に終わる経験をした時です。勇気をくじかれ重要な支えを失って、うつ状態になることもあるからです（『個人心理学講義』）。

これらの事例を考えると、実際に運命があるのではなく、人がその時々において、人との出会いや経験したことが自分にとって運命であると考えた方がいいと判断した時に、出会いや経験を運命だと信じるというのが本当のところでしょう。

反対に、人生が自分の思う通りにならなかった時には、実際には対人関係の中で関係をよくする努力を怠ったり、自分の責任で何かを決めなければならないのに選択を人に委ね、人のせいにしたり運命のせいにしたりすることで自分の選択の責任を免れようとするのです。

たしかに、懸命に努力してみても、自分の思う通りにならないことは人生においていくらでもあります。そのような時には、人間がどうすることもできない大きな力である運命の前に呆然と立ち尽くしていると思うかもしれません。**しかし、本当に人はそのような運命の前で無力な存在なのでしょうか。**

ある日、タクシーの運転手さんとこんな話をしたことがあります。

「お客さんを乗せていてこんなことをいうのもなんですが、お客さんを乗せてしまったら、後は目的地まで安全に運転すればいいわけで、この時間は〈仕事〉をしているわけではないのです。

では、いつが私にとって〈仕事〉かといえば、お客さんを降ろして、次のお客さんが乗る時まで。その時にただ漫然と車を走らせていてはいけないのです。どこでいつお客さんを拾えるか情報を集めるのです。こんなふうに考えて十年間車に乗ると、その後の十年が変わってきます。『客が少なくて今日は運が悪かった』といっているようでは、この仕事はやっていけないのです」

客が少ないのは運が悪いからだと考えていると、そのような人は客を増やすために何ができるかも考えず、事態を改善する手を打たないので、人生は何も変わらないか、あるいは、何もしていないのでいよいよ悪くなるということは考えられます。

どれほど努力しても、うまくいかないことは残念ながらたしかにあります。コロナウイルスの影響で海外から旅行者がこなくなることなど誰が想像したでしょうか。これは不可抗力だというしかありませんが、それでも、業績の悪化を前にして手を拱い（こまね）て初めからどうにもならないと諦めてしまってできることもしなければ、事態はいよいよ悪化します。

今日という日を喜んで生きる

人はいつ生まれてくるかを決められないように、いつ死ぬかも決めることはできません。また、地震や津波のような自然災害がいつ何時くるかも知ることはできないでしょう。

しかし、事故や災害、世界的なコロナウイルスの感染拡大を前にして何ができるかは決めることができます。どうにもならないと思って諦めるのでも、何とかなると思って何もしないのでもなく、できることをとにかくするしかありません。それがたとえ何もできることはないということを見極めるということであったとしてもです。**できることとできないことの見極めをまずしなければなりません。**するべきこととするべきではないことも見極めなければなりません。現状の分析に政治的判断を交えないとか、統計の改竄があってはならないのはいうまでもありませんが、安心を求めたい人は楽観的な予測に飛びついてしまいます。

次に、人はどんな状況にあっても、今日生きられることを喜び、今日という日を今日という日のためだけに生きることです。

そのように思うことができれば、これから起こることはすべて決まっているとしても（私はそうは考えませんが）、そしてそのことを運命というとしても、運命に翻弄されるような脆弱な生き方をすることにはならないでしょう。自分の生き方を決めるのは「私」なのです。

あるのはこの「私」だけ

「本当の自分」などありません。今のこの「私」しかありません。

こんなふうにいってしまうと身も蓋もないのですが、まずはこの事実を認めるところから始めるしかないと私は考えています。

他の道具であれば、気に入らなかったり、あるいはパソコンのように、より高性能なものができたりした時には買い換えることができないわけではありません。しかし、**この「私」が気に入らないからといって、他の自分に換えることはできません。**たとえこの私にどれほど癖があっても、この先ずっと自分と付き合っていかなければならないのです。

真似をしても本質はわからない

なぜこのありのままの「私」であってはいけないと思うようになったのか。二つの理由があります。一つは、他者と自分とを比較し、自分は他者よりも劣っていると考えるので、このありのままの自分であってはいけないと考えるようになったからです。
　自分が他者よりも劣っていると考えないとしても、誰か憧れの人がいて、そのような人になりたいと思っているその人の真似をしようとします。しかし、そのような努力をしてその人になれたとしても、**自分が自分ではなくなったという意味しかありません。**

　文章修行をする時に、誰かの模倣をすることはあります。私は学生の頃、哲学者の和辻哲郎のように書いてみたいと思い原稿用紙に『風土』を書き写したことがあります。

　誰か尊敬する作家のように書いてみたいと思って一生懸命その作家の文体を真似て、作家と同じ文体で作家が書くのと同じような作品を書き上げたとしても、その作品は自分の作品ではありません。

　同じことは絵画や音楽についてもいえます。あんな絵を描いてみたいと思って人の絵を真似して描いても、自分の絵にはなりません。絵を描けるようになるためには、**最初は模倣から始めることはあるでしょうが、やがて自分の絵を描かなければなりま**

せん。

形式を真似てみても、当然、作家や哲学者が粘り強く考え抜いたことを理解できるわけではありません。先に引いた九鬼周造が次のようにいっています。

「いったい私は深い思索には、深い体験が不可欠であることを信じている」（『九鬼周造随筆集』）

この「深い体験」まで仮に追体験できたとしても、そしてそのことで作家や哲学者と同じ境地に達したとしても、コピーしただけなので意味のないことなのです。同じ体験をしたからといって同じことを学ぶわけではありません。大事なのは体験ではなく、その体験から何を学ぶかということです。同じ体験をしても、それによって作家や哲学者とは違うことを学べなければ意味がありません。

ほめられたという気持ちは癖になる

小学生の時に校外に写生をしに行った時、私は夢中で絵を描いていたのですが、ふと隣にいる同級生の絵を見た途端、それまで自分が描いていた絵が急につまらないものに見えました。そこで、画用紙を破り捨て、その同級生と同じような絵を描き始めたことを覚えています。同じものを見ていても、それをどう見るかは人によって違います。それ以前に何を描くか、風景画であればどの景色を描くかを決めるところが独創です。仮に同じものを描いたとしても同じようには描けませんが、同じように描けたところで意味はありません。でき上がった絵は自分の絵ではなくなるからです。

このままの私であってはいけないと思ってしまうもう一つの理由は、他者が自分に期待していることを知り、その**他者の期待に添った自分にならなければならないと考えることです。**その他者は特定の人ではなく、今の世の中の価値観であることもあります。

小学生の頃、祖母の葬式にたくさんの親戚がやってきました。その頃、私は絵が得意だったので、絵を描いて皆に見せたところ、大いに驚かれました。私は得意になりました。

ほどなく、今度は祖父が亡くなりました。その時も大勢の親戚が葬式にきたので、絵を描けばほめられるだろうと思ったのですが、その時には私の絵に関心を持った人は誰もいませんでした。私は絵を描くことが好きでたまらなかったというよりは、人からほめられたかっただけなのです。

このように実際には、他者は自分が思っているほど自分に関心を持ってくれているわけではないのですが、今のこの自分では他者の期待に添えないと思った人は、自分を受け入れることができなくなります。

他者の期待に添ったり、世間一般で多くの人が受け入れている価値観に合わせて生きようと思う必要はありません。他者は「特別である」ことを求めます。その具体的な意味は、いい学校に入りいい会社に就職するなどして成功することです。

それが唯一の人生の目標であると思っている人は、幼い頃から一生懸命勉強し、いい成績を取ろうと努力をしますが、勉強することが面白くて勉強に励むのではありません。

いい成績を取り、まわりの人が期待するような進学校に入ると、まわりの大人たちが喜ぶので自分も嬉しくなります。しかし、人を喜ばせるために勉強することはつまらないと思います。期待に応えればまわりの人は自分を評価してくれるでしょうが、もしも受験に失敗するというようなことがあれば、たちまち誰も見向きもしなくなります。

ありのままの自分に価値がある

私が教える機会があった学生たちの中には間違うことを恐れる人がいました。決していいことだといっているのではありませんが、子どもの頃から試験で間違えて親や教師からこんなこともできないのかというようなことをいわれてきた人であれば、**できないというありのままの自分を受け入れることができているる**といえます。

しかし、学校でずっといい成績を収めてきた人はわからないとかできないという経験をしたことがないのです。私の授業で初めてわからないという経験をすることになりました。そうすると、たった一つ間違っただけでも黙り込んでしまうのです。教師である私は学生が間違えたからといって「できない学生」だと思ったりはしません。ところが、教師からそう見なされたと思ってしまった一人の学生に、間違えたからといって「できない学生」だとは思わないと約束しなければならなかったことがあります。

誰もがいつまでもいい成績を取れるわけではありません。最初はいい成績を取ることで特別によくなろうとしていた人がそうすることができないとわかった途端に、今度は一転して特別悪くなろうとします。積極的な人であれば、学校に行かなくなったり、家に引きこもったり、また心の病気を患う人もいます。学校に行かなければ勉強ができないという現実に直面しなくてすみますし、病気でなければ何でもできるのにと可能性の中に生きることができます。積極的な人であれば、問題行動をします。

自分が思うほど他人は見ていない

どちらもありのままの自分であってはいけないと思っているのです。なぜそう思うかといえば、今の自分、ありのままの自分には価値がないと思っているからです。特別よくなろうとしていた人は他者の期待を満たせたら自分に価値があると思えたでしょう。しかし、それが叶わないので、悪くなれば自分の存在を認めてもらえるだろうと思うのです。しかし、人に合わせて生きようとするのは、特別よくなることで人の期待に添おうとするのと同じです。**どちらの場合も、人の人生を生きることなのです。**

さらに、特別よくなったり悪くなったりして他者の期待を満たすために生きようとする人は、他者は自分が思っているほどには自分に関心を持っていないことを知りません。子どもは親の期待を満たしても、いつまでもそうすることはできません。進学校に入れば親は喜ぶでしょう。親が本当に子どもに関心を持っているのであれば、子どもが受験で失敗してもそのような子どもを受け入れるはずなのです。子どもが失敗した時に失望するでしょうが、まわりが皆優秀で勉強についていけなくなると親は失望するような親は、結局のところ子どもではなく自分にしか関心がないのです。

仮に親やまわりの期待に添うべく努力して成功したからといって、ずっと順風満帆な人生を送れると思うのは間違いです。どれほど努力していても、自分の力ではどうすることもできない災害に見舞われるようなことはあります。

最初に本当の自分などないと書きましたが、こんな私であってはいけないと思って、他者から認められるような自分になったとしても、それは本当の自分ではありません。こんな自分であってはいけないと思っている人は、自分で自分がどうあるべきかと考えているわけではありません。他者がよしとする理想に合わせようとしているだけなのです。**自分でない自分になったところで意味がありません。**特別であろうとしなくてもいいのです。

人の期待に応えない

私は私でしかないのだと、他者の期待を満たさなくてもいいのだ、**変わる必要などないのだと思った時に、本当の自分になれる**といえます。そう思っただけで変われているのです。

ありのままの自分、ありのままの私というのは、何があっても変わることがない自分です。そうであれば、その意味でのありのままの自分はこの自分でしかないことがわかるでしょう。

ありのままの自分を探さなければならないわけではないこともわかるでしょう。本当の自分は、今の自分ではない自分ではなく、初めから自分であった自分なのです。

先に親子の話をしました。子どもが幼かった頃は子どもが生きていることが喜びだったはずなのです。その後もこの気持ちを持ち続けることができる親は、子どもが学校に行かなくなっても、受験に失敗しても変わることなく子どもを受け入れることができるでしょう。

それなのに、親に欲が出てからは、子どもが特別であることを願うようになります。言葉の発達が早いとか、もの覚えがいいというようなことが好ましく思えるのです。ところが、子どもの側からいえば、親の特別よくあれという要求に応えられないと思って、問題行動を始めることがあります。子どもが非行に走った時、「この子が自分の子どもだとは思えない」といった父親のことは先に見ました。

しかし、そういうこととは関係なく子どもが親の思いもよらぬ人生を生きようとすることがあります。私が哲学を学びたいと言い出した時、私の父親はそのことをまったく理解できなかったのではないかと思います。中学校を卒業すればすぐに仕事に就きたいという子どももいるかもしれません。

そのように**子どもがどれほど親の理解を超える生き方を選んでも、親はそれに対して何もいうことはできません。**子どもも親の期待を満たそうと思わなくてもいいのです。

親も含めて他者の期待に合わせるために生きているのではないということがわかれば、たとえ親が子どもに特別であることを求めたとしても、そのような親の期待を子どもが満たす必要がないことはわかるでしょう。

親は子どもに親の期待に合わせようと思わなくていいことを伝えなければなりません。時に親にとってこのことは容易ではないかもしれませんが、親自身も自分の親との関係で自分を見失っているかもしれません。このことについては後で考えましょう。

第二の戦場で戦う人

アドラーは「価値低減傾向」という言葉を使っています（『性格の心理学』）。他者の重要性を攻撃し、価値を貶めることで、相対的に自分の価値を高めようとして、優越感を得ようとするのです。これは典型的には上司が部下に暴言を吐くというようなパワーハラスメントに見られます。

上司はアドラーの言葉を使えば**本来仕事の場ではない「第二の戦場」に部下を呼び出し、仕事に直接関係のないことで部下を叱ります。**仕事上の失敗について上司から叱られるのであれば部下も自分のしたことなので叱られても仕方ないと思うかもしれませんが、過去に遡（さかのぼ）って、お前は何をしても駄目だというようなことをいうのはパワハラでしかありません。

部下の失敗については叱る必要はありません。きちんと指導すればいいのです。部下が失敗を繰り返したり、成績が上がらないとすれば、すべて上司の責任です。上司は自分が仕事ができるだけではなく、後進を指導育成できなければなりません。これは上司は教育者でもあるという意味です。それゆえ、部下が失敗をしたり、成績が上がらないとすれば、教育者として優秀ではないということです。

上司が部下を叱責するのは、教育者として自分が無能であることに目を向けたくはないからです。喩えてみれば、教師が生徒の親に「おたくの子どもさんは私の授業についてこられないようだから、塾にやらせてください」といっているようなものです。

教師の指導が優れていれば、生徒の学力もいいのです。このようなことをいう教師は実際にはいないでしょうが、もしもいるとすれば、教師として無能である自分のことを棚に上げているのです。

パワハラはなぜ起きるのか

なぜ上司が部下を叱りつけるのかといえば、上司は自分が無能であることを部下に見抜かれることを恐れているからです。部下の価値を貶めて優越感を得たい上司は実は劣等感を持っているのです。優越感は劣等感の裏返しです。本当に優れている人は自分が優れていることを誇示したりはしません。自分の無能を隠すために、部下を直接仕事には関係のないことで叱ったりもしないのです。

ですから、若い人は仕事上の失敗については自分で引き受けられる責任を引き受け、必要な場合は謝罪しなければなりませんが、**上司から叱責されてもこの人は強い劣等感があるのだと見ればいい**のです。パワハラをする上司は他の人にも同じことをしているので、個人の力だけでは何ともし難い面があるのは本当ですが、さしあたって部下はそのような上司が必ずしも部下が劣っているからパワハラをしているわけではないということを知っていなければなりません。

上司は上司である以上、有能であり結果を出さなければなりません。それでもまずは、ありのままの自分を受け入れるところから始めるしかありません。最初から実力以上の自分を部下に誇示しようとする人は、虚栄心があるのです。部下の信頼を得たいと思うのであれば、研鑽を積むしかありませんし、アドラーの言葉を使えば、その意味での「優越性の追求」はしなければなりません。

そういう努力をしないで**短絡的なやり方で自分の価値を高めようとすることが価値低減傾向であり、パワハラです。**

叱ることはすべてパワハラ

パワハラを許容してきたのは、叱ることは教育において必要なことだという伝統的な考え方です。どこまでは叱ることでどこからがパワハラかとたずねる人がいますが、叱ることはすべてパワハラだといって間違いありません。上司は部下が失敗した時にそれを放置することは当然できません。しかし、叱ると部下の失敗ではなく、人格にその矛先が向かうことになります。

叱らなくても、人の価値を低減させることはできます。正確には低減できると思うということですが。私の講演では質疑応答の時間をたくさん取っています。ある時、私の声が小さくて聞き取りにくかったという人がいました。もちろん、これは本当だったかもしれませんが、この人は講演内容そのものについて質問し質問内容によって自分が優れていることを示すことができないので、私の声が小さいことを指摘することで、私の価値を引き下げ、ひいては講演内容そのものに価値がないことを明らかにしようとする狙いがあったのはわかるでしょう。

例えば、出版された翻訳について、翻訳者が博士号を持っていないとか学会で発表したことがないというようなことをいうことで、翻訳者の価値を貶めるということもあります。

翻訳そのものの価値を問題にするのではなく、翻訳者が研究者として劣っているから翻訳が劣っているといいたいのです。それゆえ、翻訳がどれほど優れたものであっても価値がないと初めから見向きもしないのです。今は人工知能（ＡＩ）を使った翻訳を利用する人が多いのでしょうが、学歴で翻訳の是非を判断するような人は、ＡＩは博士号を持っていないからその翻訳は価値がないというかもしれません。

先に見た価値低減傾向とは、人の価値と重要性を低減することです。もしも部下の仕事の成果にだけ注目するのであれば、叱ったり価値を貶めたりしなくても、普通に言葉でなぜ失敗したかということをきちんと説明すればいいだけのことです。

仕事においては結果を出さなければならないでしょうし、そのことは昇給や昇進に関係してきます。結果を出すために努力することは仕事では当然であるとしても、そのことと人間としての価値は別のことだということを知っておかなければなりません。

ヘイトスピーチをする人はどんな感覚でいるのか

いじめや差別においても価値低減傾向が見られます。いじめや差別をする人は他者の価値を貶め、自分の価値を高めようとします。相対的に自分の価値を高めることが目的なので、誰をいじめ差別するかは大きな問題ではありません。もちろん、いじめられたり差別される側にとっては大問題です。

いじめや差別の対象は特定の誰かである必要はなく、いじめや差別をする人自身と比較可能な誰かであれば誰でもいいのです。誰でもよい誰か、つまり、アノニムな（匿名の）人の価値を下げることで自分の価値を高めようとしているのですが、**いじめや差別をしても当然そのようなことをする人の価値が高まるわけではありません。**

今日問題になっているヘイトスピーチ、ヘイトクライムの「ヘイト」（hate）は「憎しみ」という意味ですが、この憎しみについてアドラーは次のようにいっています（ドイツ語では Haß）。

「憎しみの感情は様々な点を攻撃することができる。人がその前に置かれる課題に向けられるものもあれば、個々の人、国民や階級、異性、さらに人種に向けられる」（『性格の心理学』）

個人間であれば憎しみは特定の人に向けられます。犯罪者は自分が害する人に対して憎しみを持つでしょう。しかし、それが人種に向けられると対象は明確ではなく、ナチスによるホロコーストのような悲劇が起こります。犯罪の場合も無差別殺人であれば、憎しみは特定の個人に向けられません。

戦争においても、憎しみの対象は明確ではありません。「鬼畜米英」というキャンペーンが必要だったのは、アメリカ人、イギリス人全般を憎むことはできないので、憎しみを掻き立てなければならなかったのです。

ヘイトスピーチをする人も韓国人、中国人全般に憎しみを持つことはできないはずです。中国に行って、日本人であるというだけで殴られることはないでしょうし、日本に観光にきた中国人に日本人が憎しみを持つということもないでしょう。

他国民を差別する人は現実の生活においてその国の人を一人も知らないのでしょう。「〜国人」という抽象化された（しかも、誤って）その国の人のイメージを頭の中で勝手に作り上げているだけです。

当然、同国人であっても嫌な人はいます。そんな人がまわりにいて、その特定の人をひどく嫌いだという人、さらには憎しみを持つ人はいるでしょうが、だからといって、その人と同じ国の人が皆嫌い、憎いということはありえないことは誰でもわかるでしょう。自分が嫌いなのは特定の人であって、その人が所属する国家の人すべてであるはずはありません。

さらなる問題は、差別する人が自分は差別しているという意識がないことです。これはもう教育の失敗としかいえないと私は思うのですが、長年にわたって間違った考えを吹き込まれている人は正当な判断ができなくなっているのです。

このような差別感情や人の価値を貶めて自分の価値を高めようとするような傾向から自由になるためには、他者を差別しないで自分の価値を認められるようにならなければなりません。なぜ自分の価値を自分で認められなくなったのか。これが次の問題です。

私幸せに見える?

小さい頃から叱られたりほめられたりして育つと、自分の価値が自分ではわからなくなり、誰かに認められて初めて自分の価値を知るということになってしまいます。

叱られて育った人は、こんなことをしても叱られないだろうかと思うようになります。

そこで、何をしなければ叱られないかというようなことがすぐにわかるようになります。そうすると、**たしかにいい子にはなるのですが、スケールの小さな子どもになります。**

もちろん、叱られるようなことをしていいといっているわけではありませんが、時に大きな失敗をすることがあっても、自分でこれをしてみたい、これをしてみようと思えるようになることは大切なことだと考えています。

このような子どもたちがそのまま大人になれば、叱られたくないので、上司から命じられたことだけをそのままするようになるかもしれません。上司はこのような部下を重宝するでしょう。

ほめて育てるのがいけない理由

ほめられて育った子どもは自分がしたことをほめられなければ、自分でしたことの価値がわからなくなります。**ほめられないと、自分のしたことに、さらにはほめられない自分にも、価値がないと思ってしまいます。**

ほめられると自分の価値が認められたと思うかもしれませんが、それはそのほめた人の評価でしかありません。他の人が同じ評価をするとは限りませんし、たとえ誰からも評価されなくても、自分のしたことや自分に価値がないわけではありません。

他者からの評価を気にかける人は、やがて評価されるために行動するようになります。試験で出題者の狙いを読むのは試験を受ける時の技術としては必要かもしれませんが、人からどう評価されるかということを先回りして考えてしまうと、自分がしたいことや、しなければならないことができなくなります。

アドラーは「認められようとする努力が優勢となるや否や、精神生活の中で緊張が高まる」といっています（『性格の心理学』）。

「行動の自由が著しく制限される」ともいっています。人から認められようと思えば、先に見たように、自分がしたいことを制限しなければならなくなります。人に認めてもらうために、自分が本当はいいたくないことをいい、したくもないことをしなくてはならなくなるでしょうが、そういうことを続けていると、何がしたいのか、何をするべきなのかがわからなくなるかもしれません。上司のために不正を働くようなことはしたくない、するべきではないと思っている人は良心の呵責（かしゃく）に苦しむことになります。

もちろん、この制限は自分が自分に課すものですから、他の人はそのような努力をしていることを知りません。

幸福を決めるのは他でもない自分

幸福についていえば、幸福で「ある」ことだけが重要なのであって、**幸福であると「思われる」ことには意味はありません。**誰もが羨むような結婚をしたとしても、そして、皆の祝福を受けたとしても、実際に幸福でなければ幸福であると人から思われても意味がありません。

結婚することを祝福されない人もいます。自分が好きな人と結婚するのだから、たとえ親から反対されても結婚するといっていた人も、実際に親から反対されたり、またまわりの人からももう少しよく考えた方がいいのではないかというようなことをいわれたりすると、心が揺らいでしまう人がいます。

親が反対する人と結婚してもいいものか、親に祝福されないような結婚をしたら幸福になれないのではないかと考え、結局、自分が好きな人との結婚を諦める人もいます。

「自分が自分の人生を生きなければ、一体誰が生きるのか」というユダヤ教の教えがあります。親に反対されて結婚を諦めるような人は自分の人生を生きているとはいえません。

後になって、あの時、親の考えに従って親が望むような結婚をしておいてよかったという人がいるかもしれませんが、親に従わず自分が願う結婚をして不幸になる方が自分の人生を生きることになります。

結婚する時には、その結婚がその後どうなるかは誰もわかりません。本人にすらわかりません。**親が子どもの人生に責任を取ることはできません。**後になって、「あの時、親に反対されたので、好きな人ではなく別の人と結婚したけれども、そのために今私はこんなに不幸になった」と子どもから責められた時、親はそのようにいう子どもにどう答えられるというのでしょう。

それでは、子どもには責任がないかというと、そうではありません。親の反対に逆らえず、親に従ったのですから、親に従ったという責任を免れることはできないからです。自分が好きな人との結婚を諦め、親が勧める結婚をした人が、その結婚生活がうまくいかなくなったとしても、自分でその結婚を選択したという責任を免れることはできません。

自分が好きな人と結婚するよりも、親の反対に逆らわないことを選ぶ人は、親からよく思われる方を取ったのです。

承認欲求の落とし穴

親に嫌われたくない、親に認められたいと思って自分の人生を生きなかったために不幸になったと思いたい人は屈折した承認欲求を持っているのです。親は「私は勧めただけで選んだのはあなただ」というようなことはいわないでしょう。親は自分の前で苦しむ子どもを見て苦しみます。子どもの方は、このように**親を苦しめることで、親の心の中に自分の居場所があることを知ります。**

結局、このような子どもは親から自立できていないことがわかるでしょう。親にひどい言葉を吐いて親を傷つけるようなことは当然しなくていいですが、親が何といおうと自分の責任で自分の人生を生きることが自立することです。

教育の目標は自立です。子どもが自分に頼ることを嬉しいと思う親は、子どもが自立していくのを見て失望し寂しく思うかもしれませんが、そのような感情は親が自分で何とかするしかないのです。

誰もが幸福であることを願っています。そのためには、他者と何らかの摩擦が生じることを覚悟しなければなりません。親も例外ではありません。むしろ他の誰よりも親とぶつかるということはあるでしょう。幸福であるためには勇気がいるのです。

幸福であるために勇気が必要であるということには、もう一つの意味があります。**幸福になると、人から注目されなくなります。**幸福になるためには人から注目されないことを受け入れる勇気が必要だということです。

実際不幸である方が人から注目されます。不幸な人を誰も放っておかないからです。アドラーが「怪力男」の話を書いています（『人はなぜ神経症になるのか』）。サーカスの舞台で怪力男がさも大変そうにバーベルを持ち上げます。観客はそれを見て、拍手喝采をします。

その時、舞台に一人の子どもが登場します。そして、その怪力男が今しがた大変そうに持ち上げたバーベルを片手でひょいと持ち去って行きます。

このように、実際には軽いバーベルを仰々しく持ち上げることで、人を欺き過度な負担がかかっているように見せることに熟達している人が多いとアドラーはいっています。

注目されたい人は不幸を装う

何かの困難に直面した時、本当につらい、苦しいと訴える人はいます。アドラーはそのような症状が本当ではないとはいいません。朝、学校に行かないといって頭痛や苦痛を訴える子どもは嘘をついているわけではないのです。仮病、詐病ではありません。実際に症状が出ます。ところが、親が学校に連絡し、晴れて学校に行かなくてもよくなった途端に、症状は見る間によくなります。

アドラーは症状を増幅させないことが大切であるといっています。本当は症状は必要ではないのです。ただ一言「今日は学校に行かない」といえばいいのです。

もちろん、大抵の親は子どもが学校に行かないといった時にあっさりと認めたりはしないでしょうが、親が一切抵抗しなくなれば学校に行く行かないと押し問答することで親の注目を得ることができなくなります。そのことがわかれば、やがて子どもは症状を使わなくなるでしょう。

学校に行かないのであれば、学校に行かないことに伴う不利益を自分で引き受ける覚悟が必要です。このことがわかっている子どもであれば、親を巻き込まないで、自分で学校に行くか行かないかを決めることができます。そのような子どもであれば、大人になって自分の人生の進路を決める時にも親の顔色を窺(うかが)わず、思うようにならなかった時も親に責任を転嫁したりはしないでしょう。

不幸であれば注目してもらえます。しかし、幸福であれば誰からも注目されません。

不幸であることで注目されたい人も屈折した承認欲求を持っているわけです。

話を戻すならば、自分の価値は自分で認めればいい。自分の人生なのだから、自分の人生を生きればいい。他者の期待に合わせる必要もありません。**他者の期待を満たして、自分が他者には幸福に見えたとしても、本当に幸福でなければ意味がないのです。**

他者を裁きたい人

自分が失敗することがないように配慮することは必要ですが、他の人が失敗すること、また犯罪など正義や道徳から外れたことは、それが自分に何か害を及ぼすのでなければ、基本的には自分には関係はありません。その人自身の問題なのであって、自分とは何の関係もないのです。芸能人が麻薬を所持し使用していたかどで逮捕されるというようなことです。

何の関係もないというのは、言い過ぎかもしれません。麻薬や覚醒剤を所持し使うことは犯罪だからです。

無辜の人が殺害されたという報道に接すると、その人が自分の知り合いでなくても、突然、人生を終えることになった本人の無念さ、家族の悲しみを思って胸が塞がる思いがします。

政治家が引き起こす問題は、自分とは関係があります。芸能人のスキャンダルには関心があっても政局には関心がない人が多いように見えます。しかし、本当は逆なのです。政治家の不品行はたちまち国民の生活に影響を及ぼします。そのようなことを対岸の火事のようにしか見られない人は、芸能人のスキャンダルに目を奪われ、本来見過ごしてはいけない問題を見ていないのです。大きな政治問題が起こった時に芸能人のスキャンダルが大々的に報道されると、国民の関心が政治から離れてしまいます。これらの報道は仕組まれているのではないかと思う時があります。

共同体感覚とは

何か問題が起きた時に、どんな態度を取るかは人によって違います。まず、無関心な人がいます。アドラーが次のような事例を引いています。

ある若い男性が何人かの仲間と一緒に海に出かけた時のこと。彼らのうちの一人が岸壁から身を乗り出していてバランスを失い、海の中に落ちてしまいました。その若者は身を乗り出して、仲間が沈んでいくのを珍しそうにじっと見ていました。その時、好奇心しかなかったことに後になって思い当たりました。

「彼が、その人生において、そもそも誰にも何か悪いことをしたことは一度もなく、さらには折々に人とうまくやっていることができると話すのを聞いても、このことが彼の共同体感覚がわずかであることについて、われわれを欺くことがあってはいけない」(『性格の心理学』)

ここでアドラーが「共同体感覚がわずかである」といっているのは、他者にあまり関心を持っておらず、友人の身の上に起こっていることが自分には関係がないと見ているということです。

友人が溺れそうになっている時にただちに飛び込んで友人を救うべきだといってい

るのではありません。しかし、友人が感じているに違いない恐怖にまったく関心を持たず何もしないでただ見ている人は、他者と自分が結びついているという感覚（これがアドラーのいう「共同体感覚」の意味です）を平素から持っていないのです。**人と結びついているという感覚があれば、人が困っている時にそのことを自分自身の痛みとして感じる**でしょう。

アドラーが使う例でいえば、サーカスで綱渡りをしている人が足を滑らせ転落しそうになった時、自分も転落するかのように思うというのが普通の感覚でしょうが、この若者は「珍しそうにじっと見ていた」のです。

他者の言動に関心を持つ人はいます。ただし、そのような人が自分では何もしようとしないことがあります。アドラーが次のような話を例にあげています（『性格の心理学』）。

ある老婦人が市街電車に乗る時に、つるりと足を滑らせ、雪の中に落ちました。彼女は立ち上がることができませんでした。多くの人が忙しそうに通り過ぎていきましたが、誰も助けようとはしませんでした。

ついに、ある人が彼女のところへ行って助け上げました。この瞬間、どこかに隠れていた人が飛び出して、彼女を助けようとした人に次のようにいって挨拶をしました。「とうとう、立派な人が現れました。五分間、私は誰が助けるか見ていたのです。あなたが最初の人です」

この人は、「他の人の裁判官を買って出て、賞と罰を分け与えるが、自分では指一本触れたりはしない」のです。

他者に自粛を求める人

新型コロナウイルスの感染拡大を防止するために自粛することが求められた時、他の人が自粛しないのを許せない人がいます。

他者に関心を持つことは、他者にまったく関心を持たなかったり、本来自分とはまったく無関係の人に関心を持たないことよりもいいことであるように見えます。ウイルスの感染拡大防止のために自粛したりマスクを着用したりすることは自分だけしてみても十分な効果がないのは本当ですが、それでもまず自分が実行すればいいのです。

他者が協力的でないからといって見張ったり、店に抗議の電話をかけるという人がいます。マスクをしていない人がいれば、公共の場でも大きな声で注意します。なぜこのようなことになるのでしょうか。

閉ざされた空間の中で意図的にマスクを外す人はたしかにいますが、うっかりマスクをつけることを忘れたり、外出時に忘れることはあります。そのような時でも、自分の身を守らなければならないと考える人は、アドラーの言葉を引くなら、よい意図は持っているけれども（感染しないように注意すること）、「大抵、このような個人的な防衛が通常、再び他の人を害することと結びついている」（『性格の心理学』）。自粛警察や、感染者への敵意、憎しみなどはこの例です。

このような人のようにあからさまに敵意や憎しみを見せなくても、**他者を批判することには憎しみが隠されている**とアドラーは考えています。

「憎しみの感情はいつも直線的でも明らかになるわけでもなく、時としてヴェールで覆われているということ、それは例えば批判的態度という、より洗練された形を取りうるということを忘れてはならない」（前掲書）

今の時代は、自分と考えが違う人を批判する人は多いですが、そうすることで、仏教の言葉では他者を「分別」します。自分を正義の側に起き、他者を不正の側に置いて自分と他者を分別することがあらゆる争いの原因であることについては最初に見ました。

上から押しつけられる「絆」

そのような人は、自分も同じ立場に置かれたら同じことをするかもしれないということは考えずに、犯罪者を断罪し、自分の考えと違うというだけで批判します。

皆が協力して生きていくことは大切なことであり、協力し合わなければ生きていけませんが、他者と協力して生きるために、皆が同じことを考え同じ行動をする必要はありません。

皆が同じことを考え行動するという意味での一致団結は、相互に見張らないと維持されないでしょう。他の人とは違うことをする人がいれば、たちまち和を乱す人として糾弾（きゅうだん）されることになってしまいます。

犯罪は容認できませんが、人が犯行に及んだことについては社会にも責任があります。厳罰を科すだけでは同じことは続きます。

教育者であれば、自分が教えている生徒や学生の成績が振るわない時、勉強しなかったからだと責めることに終始したりしないはずです。なぜなら、それは自分の教育の失敗、自分の教育の方法に問題があったからであることを知っているからです。

これは教科の指導に限ったことではありません。私の学んだ高校の卒業生が、世間を騒がす大きな犯罪を犯し、死刑になりました。実際のところ、彼にどこまで責任があるのかが十分明らかにならないままに突然死刑が執行されてしまいましたが、その人が他者の指示によって犯行に及んだことが明らかになり、法的な責任を免れたとしても、道義的な責任を免れることは難しかったかもしれません。

彼を教えた教師たちはどんな形であれ犯行に関与したことは自分たちの教育の失敗だと大きな責任を感じました。教師たちが犯罪を教唆したのではありませんが、だからといって、教師たちは彼だけの問題だとは考えなかったのです。

自分が育てた子どもが犯罪者になることがあります。このような場合は、先ほどの教え子が犯罪を犯した場合よりも、はるかに親の責任は大きいといわなければなりません。子どもといえども他人だ、子どもがしたことは自分とは無関係とは言い切ることなどできないのです。

しかし、子どもが成人してから、何かの犯罪をした時、親がそのことに責任が取れるかというと難しい問題を孕んでいます。このことはまた別の観点から考えなければならないことです。

分断をどう乗り越えるか

今の社会の大きな問題の一つは、上から繋がりや絆が押しつけられることと、他方、社会が分断していることです。地震、洪水があれば人と人とが自然に結びつくわけではありませんし、皆が一つになって乗り切ろうと号令をかけられたからといって、人が自動的に結びつくわけでもありません。

コロナウイルスの流行で私たちが経験していることは、むしろ、社会の分断です。若者が感染を広めているとか、高齢者のために若い自分たちが犠牲になっているとか、自分たちの自由が奪われているとか、不満はどの世代にもあります。このような分断は為政者からはありがたいことかもしれません。自分たちに批判の矛先がこないからです。

どうすれば、真の結びつきを達成できるかを考えなければなりません。

第2章
「生きる」とは

生きがいは今ここに

精神科医の神谷美恵子は、生きがいという言葉は日本語だけにある表現であるといっています。

フランス語では「存在理由」（raison d'être）とあまり違わないかもしれないが、「生きがい」という表現は「もっと具体的、生活的なふくらみがあるから、むしろ、生存理由 raison de vivre, raison d'existence といった方がよさそうに思える」と神谷は指摘しています（『生きがいについて』）。

近代語では「生きるに値する」とか「生きる価値がある」「生きる意味がある」というふうに訳すことになりますが、問題はこれらが「生きがい」の訳として適当かということよりも、こうであれば生きがいがあるとか、生きることに価値がある場合とそうでない場合があるのかというふうに条件がつくのかということです。

生きがいには二つの意味がある

神谷は病気の人を例にして次のようにいっています。

「将来の或る時を待ち望んでただ現在の苦しい生を耐え忍んでいなくてはならないひともある。この場合にも現在の毎日が未来へと通じているという、その希望の態勢に意味感が生じうる」（前掲書）

神谷によれば、「生きがい」という言葉の使い方には二通りあります。「この子は私の生きがいです」という場合のように、生きがいの源泉、または対象を指す時と、「生きがいを感じている」という精神状態を意味する時の二つです。後者を神谷は意味感、あるいは、生きがい感と呼んでいます。

たとえ苦しくても、この現在が未来へと通じていると思えればこそ希望が持て、生きがいを感じることができるというのです。

さらに、神谷は、この**生きがい感を幸福感と区別しています。**生きがい感は幸福感の一種で、しかもその一番大きなものだが、この二つを並べてみると、そこにニュアンスの差が明らかに認められるというのです。

「生きがい感には幸福感の場合よりも一層はっきりと未来にむかう心の姿勢がある。

たとえば、現在の生活を暗たんとしたものに感じても、将来に明るい希望なり目標なりがあれば、それへむかって歩んで行く道程として現在に生きがいが感じられうる」(前掲書)

そして、現在の幸福と未来の希望とどちらが人間の生きがいにとって大切かといえば、いうまでもなく希望の方であろうと神谷はいいます。

神谷によれば「将来に明るい希望なり目標なりがあれば」現在の生活を暗たんとしたものに感じても現在に生きがい感を持てるということですが、もしも明るい希望や目標が見えなければ生きがいを感じられないことになります。

神谷は当時は不治の病だとされていたハンセン病の患者の治療に当たっていましたが、自分の病気は治らないと思っていた患者は明るい希望を持つことができたのでしょうか。不治の病でなくても、病床にある人は未来に希望を持つことは難しいでしょう。

神谷は次のようにいっています。

「はっきりした終末観をもつ信仰の持主には、この確固たる未来展望がおどろくべき

強さをもたらし、現在のあらゆる苦難に耐える力を与える」（前掲書）

死後に救済され、復活するとか転生するというようなことを信じられる人であれば、どんな苦難に遭おうともそれに耐えることができるでしょう。しかし、そのような信仰を持てない人には未来は見えず、未来に明るい希望を持つことはできないことになります。未来に希望を持てなければ、現在の苦難に耐えることはできないのか。「おどろくべき強さ」を持てない人はどうすればいいのでしょうか。

希望が未来にあるとするのなら、希望を持てず絶望するしかないのは、回復を望めず、未来が閉ざされている病者だけではありません。

未来に希望を持てるかどうか

精神医学者のフランクルは絶望的な状況にあってもなお希望を失わず、アウシュビッツの収容所に入った時に奪われた原稿の修復を行いました。密かに手に入れた小さな紙片にびっしりと文字を書きつけたのです。

フランクルはまた収容所を出てから自分が講演をしているところをまざまざと想像

しました。

「突然私自身は明るく照らされた美しくて暖かい大きな講演会場の演壇に立っていた。私の前にはゆったりとしたクッションの椅子に興味深く耳を傾けている聴衆がいた」

希望が彼を生かす力になったのです。そのメモをもとに書き上げたのが『夜と霧』です。このような経験をしたのはフランクルだけではありません。

「内側から彼ら［ユダヤ人］を支え、救ったのは、彼らが希望という言葉を捨てなかったから」（辻邦生『言葉の箱』）

「これに対して一つの未来を、彼自身の未来を信ずることができなかった人間は収容所で滅亡して行った。未来を失うと共に彼はそのよりどころを失い、内的に崩壊し身体的にも心理的にも転落したのであった」（フランクル、前掲書）

未来に希望を持てるかどうかは人の生と死を分けることになりました。

しかし、未来が閉ざされている病者と同じく、希望が未来にあるものとすれば、未来へと繋がる希望が実現しなければ絶望するしかないのではないか。クリスマスには家に帰れるという希望に身を委ねた多くの人がクリスマスには何も起こらなかったので落胆して亡くなったということは先に書きました。

ある時、フランクルは仲間の前で未来について語りました。未来は虚心にこれを見れば、ほとんど慰めようがない、生き延びる可能性は少ない、と。しかし、**だからといって落胆し、希望を捨てる必要はない。**

「何故ならば、如何なる人間も未来を知らないし、如何なる人間も次の瞬間には何が起きるのか知らないからである」（フランクル、前掲書）

これはたしかにフランクルのいう通りです。

しかし、突然何らかの大きなチャンスに恵まれないとは誰が知っていようか、と、非常によい労働条件の特別の中隊へ急に入れられて、よそに送られるようなことをフランクルは例にあげています。

しかし、この「幸運」が実現しなければ、先に見たクリスマスの時と同じことが起こるのではないでしょうか。

希望が見えない人はどうしたらいいか

先にも引用しましたが、神谷美恵子が病気の人を例にして次のようにいっています。「将来の或る時を待ち望んでただ現在の苦しい生を耐え忍んでいなくてはならないひともある。この場合にも現在の毎日が未来へと通じているという、その希望の態勢に意味感が生じうる」(『生きがいについて』)

ここで神谷がいう意味感というのは「生きがい感」です。私は人は未来を知らないのみならず、未来は「ない」と考えていますが、「現在の毎日が未来へと通じている」としても、**先に必ず希望があるとは限りませんし、大抵、希望は実現しません。**

むしろ、**希望を未来に結びつけてはいけない**のです。「今」においてこそ希望は持てるのであり、生きがいは神谷がいうように未来ではなく、「今」感じられなければなりません。

三木清は、「私は未来へのよき希望を失うことができなかった」といっています(『語られざる哲学』)。なぜ三木が希望を「失わなかった」ではなく、「失うことができなかった」といっているかといえば、希望は他者から与えられるものだからです。たとえ自分は絶望しても、他者から希望が与えられるということです。

こんなことも三木はいっています。

「心に希望さえあれば、人間はどんな苦難にも堪えてゆくことができる」（「心に希望を」『三木清全集』第十六巻所収）

苦境にある人は到底希望など持てないと思うかもしれませんが、回復の望みがまったくない病気に罹患している人が希望を持てないかというとそうではありません。回復するかしないかは未来を待たなければなりません。しかし未来が来るのを待たなくても、**今ここで生きがいを感じることができないわけではありません。**

生きていることで他者に貢献している

心筋梗塞で入院した時、私は二つの学校で教えていました。ある学校はすぐに解雇されてしまいました。次の週に出講できない非常勤講師はその学校にとっては雇い続ける価値がないと判断されたのでしょう。一月で退院できるので復帰するまで少し待ってほしいとメールを送ったのですがなしのつぶてでした。それ以上学校と交渉する体力も気力もなかったので、そのまま職を失いました。

もう一つ非常勤講師をしていた学校は解雇されませんでした。ベッドから降りて歩けるようになった時に病院内にあった公衆電話から学校に連絡しました。電話を受けた教師の「どんな条件でも復帰してほしい。待っている」という言葉はありがたかったです。入院する前は週に一度出講していましたが、たとえそれが二週間に一度になっても必ず復帰してほしいという意味なのです。退院後はしばらく自宅で療養するつもりだったのですが、この言葉を聞いた私は一日も早く復帰したいと思い、退院するとすぐに教壇に立ちました。講義をする教室が二階にありエレベーターがなかったので、階段を休み休みのぼらなければならなかったのですが、復帰し再び学生の顔を見られた時、生還できてよかったと思いました。

電話を受けた教師の言葉を聞いて私は未来に希望を持ったのではありません。まだその時点では確実に復帰できるかはわかりませんでした。この先どうなるかまったくわからないのに、私が復帰することを望んでいる人がいること、病気であるにもかかわらず、次の週に講義できるかどうかということではなく、私を受け入れてもらえたことに希望を持つことができました。他者から与えられる希望は「今」与えられるのです。

とにもかくにも、自分がこんなふうに生きていることを喜んでくれる人がいるという気づきが生きる希望を与えます。未来がどうであるかとは関係なく、今希望を持て、生きがいを感じられるのです。

「生きるに値する」「生きる価値がある」ということについては、価値があるのは「生きる」ことそれ自体なのであり、**これやあれやのことができる、できないは生きる価値とは関係がありません。**

希望を他者から与えられるということのもう一つの意味は、病気になるなど苦境にある時、他者との繋がりをことのほか強く感じ、そのことが苦境に耐え、苦境を切り抜ける力になるということです。とにもかくにも自分がこんなふうに生きていることを喜んでくれる人がいるという思いが生きる希望を与えるのです。

献身的に介護してくれる家族や遠方から見舞いにきてくれる友人たちのことを本当にありがたいと思いました。

家族や親しい友人が入院したと聞けば、とるものもとりあえず病院に駆けつけるでしょう。その時、どれほど重体でも生きていることを嬉しく思うに違いありません。同じことを自分に当てはめて考えていけない理由はありません。自分が生きていることが他者にとって喜びであり、生きていることで他者に貢献しているのです。今生きているということで他者に貢献していると感じられる時に、生きがいを感じるのです。

生きていることに価値がある

こんな私など生きていていいのだろうか、生きる価値があるのだろうかとまで思い悩む人がいます。

一体、誰から生きていてはいけないなどといわれるでしょう。そんなことを面と向かっていう人はいないでしょうが、もしもそのようなことをいう人がいたとしても、「そんなことはあなたにいわれる筋合いはない」と言い返せばいいのです。

問題は、誰にいわれるのでもなく、自分自身が自分は生きてはいけないと思うことです。そのように思うのはどんな時でしょう。

他人の期待に応えなくていい

一つは、自分が他者の期待に添えない生き方をしていると思う時です。

生きてはいけないと思う人は、他者の期待を満たせないと思っているのです。しかし、誰も他者の期待を満たすために生きているわけではありません。自分の生き方を知って失望する人がいるとしても、その人を失望させないように自分の生き方を変える必要などないのです。

親が子どもに失望することがあります。突然、学校に行かなくなったり、大学には行かない、中学校を卒業したらすぐに働くと言い出したりすると、親はどうしていいものかわからず困惑します。しかし、親はその困惑を自分で解決しなければなりません。困惑したくないので、子どもの進路を変えさせることはできないということです。

生きていてはいけないとまでは思いませんでしたが、私は子どもの頃から勉強ができるというようなことをまわりからいわれることがあって、そうすると一度の試験でも悪い点数を取ってはいけないと思って大変だったことを思い出しました。本当に勉強ができたら、何も思わなかったでしょうが。

もう一つは、取り返しのつかない大きな失敗をした時に、責任を感じもはや自分は生きていけないと思ってしまう時です。何か問題を起こした人を徹底的に責め、更生を認めないのは社会の問題ではありますが、そんな人でも生きてはいけない理由はないのです。

私が生きていることに価値がある時、生きることには何の条件もないということです。

なぜそのように考えなければならないかといえば、何かを成し遂げた人は価値があるが、**生産性の観点からはもはや何も生み出さない高齢者や病人には価値がないと考える社会は非常に危険だからです。**

自分は延命治療が必要になった時は決して受けないと、今は元気な政治家がいうのは、自分がそんなことになるとはまったく考えていないからです。命の選別をしなければならないといった政治家もいます。こんなことをいうのは政治家ばかりではありませんが、政治家が堂々と優生思想を表明することに驚いてしまいます。

若い人であっても、いつ何時病気になるかわかりません。しかも、その病気によっては、まったく身動きが取れなくなったり、意識を失ってしまうということも当然ありえます。

このようになった時に、自分は生きていてはいけないと思う人がいるとすれば、本心からそう思っているわけではないかもしれません。生産性に価値があると見る社会においては、自分が病気のために何も生み出すことはできず、ただまわりの人に迷惑をかけてばかりいると思った時に、自分には価値がないと思うことがあります。

自らの死を選ぶことについて

人は自分の人生をこれからどう生きるかを自分で決めることができますし、決めなければなりません。私は生きていることに価値があると考えているので、生産性の観点から人の価値を量ることは間違いだと考えていますが、もしも本人がこの上自分には生きる価値がないと考えて、自らの命を絶ったり、安楽死を望むとすれば、それを止めることは難しいです。

しかし、決して認めてはいけないのは、自分ではなく他の人がこの人はもはや生きていく必要はないと判断することです。

そのようなことがないように、**生きることは絶対の善だと考えなければなりません。**つまり、ある場合には生きることが善、ある場合はそうではないというようなことはないということです。誰であってもどんな状態であっても生きることは絶対の善であり、誰かが他の人の人生について善か否かを判断することはできないということです。

難病の人が安楽死を望むことがあります。家族と本人が強い意志を持っている時にこれを止めることは難しいです。同じ立場に身を置くことができなければ、家族といえども病者に共感することは容易ではありません。頑張って生きなければならないというような言葉は、病床にある人には虚しく響くだけです。

安楽死は法律の問題があるのでどの国でも認められているわけではありませんが、法律の問題がなければ、自分の意志で安楽死を選ぶことはできます。問題は、安楽死をするかしないかの判断は病者自身しかできないし、してはいけないということです。しかし、今の時代、この判断を自分ではなく、誰か他の人がする危険性があります。歳を重ね、あるいは、病気のために身体を自由に動かせないとか、判断をすることが難しくなると、この人はもはや生きる価値がないと、本人ではない別の誰かが考えるようになることを私は危惧しています。

本人についても、激痛があるからというのではなく、また、信仰上の理由で安楽死を選びたいというのでもなく、家族に迷惑をかけたくないという理由で安楽死を選ぶという人がいます。

これでは安楽死を自分で選んでいるように見えても、自分で選んだことにはなりません。選ばされているのです。もちろん、家族は迷惑だというようなことはいいませんが。

身体が動かなくても治癒する見込みがなくても、生きたいと思ってほしい。そのためには、自分の価値は何かができることにあるのではないと知らなければなりません。

他の人が生きていることだけでありがたいと思ったことはあるでしょう。家族や親しい友人が病気で入院した時、とるものもとりあえず病院に駆けつけたことがあるでしょう。その時、重体でも生きていることがわかればありがたいと思ったはずです。子どもが幼かった時も、ただ生きているだけでありがたいと思った人は多いでしょう。自分が子どもだった時、親は子どもを見てそう思っていたはずなのです。

そう思えるようにまわりは援助しなければなりません。こんな状態でも、と本人は思うかもしれませんが、そんなふうに思わなくてもいいことを伝えたいですし、**何よりも生きたいと思ってほしい。**

そう思えるためには、家族も何かができることに価値があるという考え方に囚われてはいけません。

それでも生きている

人は皆死ぬとわかりながら、なぜ生きないといけないのか。

そう問われたら、まず、私は生きないと「いけない」ことは「ない」と答えるでしょう。生きることは「義務」ではないからです。

ギリシア人が一番の幸福は生まれてこないこと、生まれてきたならばできるだけ早く死ぬことが次善の幸福であると考えたことは最初に見ました。生きるということは苦しいことなので、生まれてきさえしなければ苦しい経験をしないですむとギリシア人が考えたことの意味を、苦しい経験をしたことがある人であればよくわかるでしょう。

日本語では「私は生まれた」という言い方をしますが、英語ではI was bornといいます。詩人の吉野弘は、これは受身形である、つまり、「人間は生まれさせられるんだ」と詩の中でいっています（「I was born」）。**自分の意志で生まれてきた人はいないのです。**

生まれさせられた、自分の意志で生まれたのではないのに、誰もが必ず死ななければならない、これは不条理のきわみだと作家の徐京植はいっています（徐京植、多和田葉子『ソウル－ベルリン玉突き書簡』）。しかも、生きることは苦しい。いずれ必ず死ぬのであればどうして今死んではいけないのだろうと、苦しみの中に生きる人は思うでしょう。

苦しみの中で生きる意味とは

一体、誰によって生まれさせられたのか。答えは出てきません。信仰のある人であれば、神によって生まれさせられたと答えるかもしれません。国家によって生まれさせられたというような答えは今日受けいれられることはないでしょう。

徐京植は次のようにいいます。

「『神』が生きよと命じるから生きるのだとすれば、『神』から死を命じられたとき、それを拒絶する足場はすでに失われている」(前掲書)

この神が国家に置き換えられ、若者が国家によって死を強制された時代がありました。しかし、国家は若者に死を強制したとはいわなかったでしょう。若く死ななければならない自分の人生の意味を国家のために死ぬことに求めました、そうすることで永生を約束されると信じて。

今の時代であれば、歳を重ね、病気のために身体の自由が利かなくなった人が自分にはもはや価値がないと考えることがあります。そのような人が楽に死ねるように安楽死を合法化しようとする動きがあります。

障害者には生きる権利がないと考えた人が多くの人を殺傷するという事件がありました。容疑者は一定の数の人が私のしたことに賛同するだろうと豪語しました。実際、生産性に価値を認める時代にあっては、障害のある人、高齢の人は生きている価値がないと、殺人を犯さないとしても、そう考えている人がいるというのは本当です。そのように考える人であっても、今はたまたま元気であるだけで、いつ何時から身体の自由が利かなくなるかわからないのに、他人事のように話をすることが私には理解できません。

このような風潮の中で、身体の自由が利かない人が迷惑をかけていると思ってしまい、寝たきりにならないで速やかに死ねることを願う人がいます。長く生きられても、こんなことを思って生きなければならないことは幸福なこととはいえません。

生きていてくれてありがとうという思い

望んでもいないのに生まれさせられたという不条理を感じ、苦しみから解放されるために死を願うことにならないために何ができるか。すべきことは二つに集約されると徐京植はいいます。

一つは、生まれてきてよかったと思えるような世の中を作ること。これは個人の手によって成し遂げることは困難な課題でしょう。しかし、生まれてきたことに絶望している人、生きる勇気を失ってしまった人の力になれないわけではありません。アドラーと話している間に生きる勇気を再び見出したという患者がいました（『生きる意味を求めて』）。生きることは苦しい、でもこの人に会えてよかったと思われるような人になりたいと私はいつも思っています。

すぐにでもできることがあります。他の人がどう思おうが、私は今のままの、ありのままのあなたを受け入れているというメッセージを伝えることです。言葉にすることは気恥ずかしく思えるかもしれませんが、実際には、それほど難しいことではありません。**友人や家族が病気になった時どんな状態でも生きてほしい、とにもかくにも**

生きていることがありがたいと思ったことでしょう。このように思った時、人間の価値は何かができることにあるのではなく、存在することに、生きていることにあると知ったのではないでしょうか。

他の人について自分がそのように思えるとすれば、自分の身体の自由が利かなくなったからといって、自分に価値がないと考えなくなるでしょう。もしも自分が生きていることが迷惑であると思うような人がいるとしたら、そのような人は他者を信頼できていないのです。

もう一つは、人間一人ひとりが精神の独立を果たし、「自分の生命の主権者」となることであると徐京植はいいます。たしかに、私たちは生まれさせられたのかもしれませんが、一旦生まれた以上、この人生を生きることを与えられた事実として受け入れ、積極的に自分の人生を生きようと決心することです。

神や国家によって生まれさせられたわけではありません。信仰のある人であれば神によって生まれさせられたと思うのでしょうが、ここでは信仰のない人の話です。人は神や国家のために生まれさせられたのでも、生かされているのでもありません。

しかし、人は一人で生きているのではありません。他者との結びつきの中で生きているのです。その他者に生かされているといえます。その他者は「生きよ」とはいっても「死ね」とはいいません。共同体の存続は、死者ではなく、生者に負っているからです。

生きるべきかどうかという問いに答えを出せなくても、それでも今生きているのは、死ではなく生きることを選択したということです。

死は人生の直下にある

窓から飛び降りたいという欲求を持っていた人がいました。アドラーはいいます。

「しかし、その欲求を克服し、なおも生きているではないか！　自分自身に勝ったのだ」（『人はなぜ神経症になるのか』）

人生の最後に死がきます。しかも、最後になって死がくるというよりは、常にではないとしても、病気になったり自分の老いを意識する瞬間に、いつまでも生きられないということに思い至ります。こんなことを老いて初めて意識する人がいると思わないのですが、一度死の存在に気づいてしまうと、死は人生の終わりにあるというよりは、人生の直下にあることになります。

今生きるにあたって死は決して無視することはできません。しかし、そうであっても、結局最後に人は死ぬのだから生きる意味はないということにはならないのです。人は死ぬために生きているのではありません。旅に出かける時には目的地を決めますが、死はそれと同じではなく生きることの目的地ではないということです。

その旅も出かける前にどこに行くかを計画しますが、必ずしも計画通りにいくとは限りません。いつか上海で講演をした後、翌日深圳で講演するために飛行機で移動しようとしたところ、大雨で飛行機が飛ばなくなりました。結果的には深夜に深圳のホテルに到着し、講演をすることもできましたが、もしも上海で足止めされたとしても、そのことで旅がつまらないものだったとは思わなかったでしょう。想定外のことではありましたがそのようなハプニングもまた旅の楽しみの一つでした。

目的地にばかり注意を向けてしまう人は途上を楽しむことができません。人生も同じです。人生の場合は、最終的に死に至らないということはないのですが、そこに至るまでの過程を楽しむことはできるはずです。

人生が順風満帆な時は死を意識することはあまりないかもしれません。なぜ生きないといけないのかと考えるのは、生きることが苦しく、この先どれほど生きなければならないかを考えただけで絶望するような時です。「この先どれほど」ではまだ目がずいぶんと先の方にまで向けられていますが、明日のことすら考えられない、あるいは、明日という日がやってくると思うだけで苦しくなり、明日を待たずに今日命を絶ってしまいたいと思うほど絶望する人はいます。

苦しくなくても日々の生活に少しも満足できず、一日が長く退屈でたまらないという時も同じように思うことがあるでしょう。

今の人生が満ち足りていれば、死が意識にのぼることはありません。どんな時にそう感じられるかを考えなければなりません。

死に優劣はない

死に優劣はありません。早産だったからとか、難産だったからといって優劣を見ないように、死に方にも優劣はありません。それなのに、長生きするのがよく、短命であることは受け入れ難く考えている人が多いように見えます。

天寿を全うし誰からも惜しまれて死ぬのが幸福な死なのか。逆縁という言葉がありますが、子どもが親よりも先に亡くなれば、その死は不幸な死なのか。そもそも短命ではいけないのか。また、自ら命を絶つ人の死は不幸なのか。

幸福な死とか不幸な死というような区別をすることには意味がありません。誰もいつどんな死に方をするかはわかりません。死はあらゆる人に平等に訪れるのです。

ある人の人生をその最後だけを見て判断してはいけないと私は考えています。自ら命を絶たれた人の家族と話をすることがあります。私がいつもいうのは、死に先立つ人生をこそ見てほしいということです。死は人生に終止符を打ちますが、死ぬために生きているわけではありません。誰もが生まれるや否やその日が死に始める最初の日なのですが、死は人生の目標ではありません。死ぬために生きているのではないのです。

大往生とか天寿を全うするというような言い方は、長く生きることに価値があるという考え方が前提になっています。先に生きがいという言葉について、近代語では「生きるに値する」という表現になるということを見ましたが、アドラーが次のようにいっています。

「多くの人はいつも病気のことを恐れ、それが強迫観念となって、有用な仕事をするのを妨げる。人生は限りあるものではあるが、生きるに値するものとするだけの長さは十分にある」（『子どもの教育』）

病気だけでなく、高齢であることも有用な仕事をすることをためらわせます。今から着手してもやり遂げられないのではないかと思ってしまうのです。本当は、病気や高齢が仕事を手掛けることをためらわせる原因なのではなく、仕事をしないために病気や高齢をその理由として持ち出すのですが、ここでアドラーが人生を生きるに値するものにするためには何か仕事をしなければならないと考えているということに注目したいです。

執着するものがあるから死ねる

人生に限りがあっても、有用な仕事をすることで人生を生きるに値するものにするには、つまり、生きがいのあるものにするためには、長くはなくてもいくらかは生きなければならないとアドラーは考えているように見えます。

その間に有用な仕事をやり遂げなければ、その人生は仕事をやり遂げなかった人生よりも価値的に劣っていることになります。

大往生といわれるためには、長生きするだけでは十分ではないと考えられているでしょう。大往生するためには、死を恐れず、従容（しょうよう）と死んでいかなければなりません。立派に死ななければならないのです。

他方で、長生きすることは生産性の観点から価値はないと考える人もいます。命の選別をしなければならないと優生思想を持ち出す人もいます。

このようなことをいう人は、自分自身が高齢になるということ、また加齢や病気によって、今は何でもできてもやがて身体が不自由になれば介護の必要が出てくるということなど少しも考えていないのでしょう。

自分は延命治療を受けないといった政治家の話は先にもしましたが、その人がいざ重体になった時に延命治療を拒み従容として死んでいくというような姿を想像することはできないのです。

しかし、実際には、そのように死んでいく人は多くはないでしょうし、**立派に死ななければならないわけではありません。**死にたくなんかないといって号泣して死んでいく人もいるはずですし、そのように死んでいくことが恥ずかしいことではありません。

三木清は、次のようにいっています。

「執着する何ものもないといった虚無の心では人間はなかなか死ねないのではないか。執着するものがあるから死に切れないということは、執着するものがあるから死ねるということである。深く執着するものがある者は、死後自分の帰ってゆくべきところをもっている」(『人生論ノート』)

心筋梗塞で倒れた時に一番残念に思ったのは、子どもたちの行く末を見届けることができないことでした。子どもの成長を見届けなければ、死ぬに死ねないと思う人もいるでしょう。

「執着するものがあるから死ねる」は逆説的な言い方ですが、何の執着もなく死ぬ人はいないということを的確に表しているといえます。

人生はマラソンではなくダンス

若くして亡くなった人について道半ばで志を遂げずに亡くなったというような言い方をすることがありますが、「志」を遂げずに若くして亡くなったからといって、長生きすることよりも価値的に劣っているわけではありません。

人生を誕生から始まり死に終わるというふうに直線的にとらえたら、若く亡くなった人は道「半ば」で死んだということになりますが、人生を直線的に見ることが人生についての唯一の見方ではありません。

人生は喩えてみれば、マラソンというよりはダンスです。音楽がやめばダンスも終わりますが、結果として遠くまで行くことはあっても、どこかに行くためにダンスをする人はいません。ゴールに到達することが目標であるならば、ゴールに到達する前に死ぬことがあればその人生は不完全だということになるでしょうが、ダンスのようにその時々で楽しむことが生きることなので、**どこで終わってもその人生が不完全であるということにはなりません。**

不死の「私」

誰も一度死んでから蘇(よみがえ)った人はいないのですから、その意味で、死がどういうものかを知ることはできません。他者の死を見ることで自分の死はどんなものなのかを類推するしかありません。

他者の死についてはっきりわかることは、死が不在であるということです。昨日まで、否、今しがたまで一緒にいた人がいなくなるのです。死んだ人とは二度と会うことはできません。見ることも声を聞くことも触れることもできません。

他者は世界からいなくなります。喪失感は大きく、すぐには死んだ人の不在に慣れることはできません。ある時、ふとまだ生きているように思って声をかけているというようなことが、死からまだあまり時間が経たない時には起こります。

しかし、やがて以前は毎日泣き暮れていた人でも、いつか死んだ人のことをまったく考えていない時があることに気づきます。こうして時間はかかっても、その人がいない世界の中に生きていけるようになります。

次第に忘れていくのは当然

死が別れであることは間違いありません。死別でなくても、誰か親しい人と別れることは、それが短い間であっても、寂しく、悲しくもあります。そんな別れをしたのに死んだ人のことを次第に忘れることは当然のことです。**別れた人とはもはや同じ時間が流れる生の中に生きているのではない**からです。

英語では、彼〔女〕は十年ずっと死んでいるという表現をしますが、死者には時間は消滅しますから、死んでから今までは生者にとっては悠久の時間であっても、死者には一瞬のことなのです。

しかし、このような不在としての死は、あくまでも生者から見た他者の死であって、自分の死ではありません。つまり、自分が死んだ時にどうなるかは生きている限り誰にもわからないということです。

私が死ぬと、私自身も私がその中で生きていた世界もなくなってしまうかもしれません。誰も生きている限り、そのような状態を経験できませんが、夢も見ないで深く眠っている時に無になった自分を少し経験できます。「少し」というのは、翌朝になると目が覚めるからですが、ずっと目が覚めないのが死であるといえます。

私は全身麻酔を施されて手術を受けたことがあります。「動脈ライン確保」という麻酔医の言葉を聞いたところまでは覚えていますが、その直後意識がなくなり、次に気づいたのは、人工呼吸器に繋がれていた管が抜かれる時でした。一瞬、強い痛みを感じ覚醒しましたが、麻酔が施されている間は幕が落とされたようで、寝ている時であれば夢を見ないまでも寝ているという感覚がありますが、それすらありませんでした。

眠りの場合も麻酔の場合も、また時間が経てば覚醒しますが、死の場合は二度と覚醒しない、つまり、生き返ることはありません。長く死んでいたと実感することはないという意味です。

心と身体は分割できない

プラトンは死は魂が身体から離れていくことだと考えました。

今の時代であれば魂という言葉は使いません。病気や事故などで意識を失った人が心肺停止状態になり死に至るという時、今は意識現象は脳に帰されるので、脳とは独立した心（魂、意識）を想定しません。死というのは脳の活動が停止することであり、脳が停止したら意識も消失すると考えます。

アドラーの死についての考えは今あげた考えのどちらとも違います。アドラーは自分が創始した心理学を「個人心理学」(Individualpsychologie, individual psychology)と呼びました。individualというのは「分割（divide）できない」という意味です。

個人心理学は、意識と無意識、感情と理性、さらには、人間を心と身体に分割しません。心と身体が分割できないというのはどういう意味か。心と身体が同じだということではありません。アドラーは、**心と身体はどちらも生命の過程、表現であり、互いに影響を与え合う**といっています。

目の前にあるものを取り上げたいと思っても、手が縛られていたら持ち上げることはできません。骨折したり、あるいは、老いや病気によって身体の自由が利かなくなると、したいと思ってもできないことがあります。

反対に、心が身体に影響を及ぼすこともあります。人からひどい言葉を投げかけられたら、動揺し夜眠れなくなったり熱が出ることがあります。これは心が身体に与える影響の例です。

アドラーはトラウマ（心的外傷）を認めませんが、災害や事故にあって大きな衝撃を受けると、そのことが心にも大きな影響を及ぼすことがあります。人間が自分の意志に反することを強いられた時も、そのことが心に大きな影響を与えることになります。そのようなことがあっても平気な人はいるでしょうが、何の影響も受けないで平静でいることは容易ではありません。心を病む人がいても当然でしょう。

脳は心の道具である

災害や事故でなくても、老いや病気のために、身体を自由に動かせなくなると、また、病気をした時も身体に加えられる苦痛が心にも影響を与えます。アドラーは次のようにいっています。

「脳は心の道具だが、起原ではない」(*Adler Speaks*)

脳は心の道具である、つまり、心が脳を道具として使うけれども、心は脳から作り出されたわけではないという意味です。脳に限らず、身体全般についても同じことがいえます。

しかし、心が脳を含む身体を道具として使うのではありません。アドラーによれば、人は分割することができないのですから、人の中に心と脳（身体）が別のものとしてあるわけではありません。先に見たように、身体と心はどちらも生命の過程あるいは表現です。**同じ生命を違う面から見たのであって、別のものではない**のです。同じものであれば、心が身体を使うことはありえません。

「分割できない全体としての個人」は心ではないはずですし、身体でもありません。

そうなると、身体と心とは別に、「私」というものを考えなければなりません。心が脳を使うのではなく、私が身体である脳を使い、私が心を使うのです。

「私」は「心」（魂・精神・意識）と「身体」から構成されます。この身体の中に脳が含まれます。「私」が「心」を使い、「私」が「身体」を使います。この「私」が分割できない全体としての「私」なのです。

図示すると次のようになります。


私∨心（魂・精神・意識）＋身体（∨脳）＝生命

「私」は魂（精神、心）と身体から成る全体的存在ということです。このうち身体が病気や事故、老化など何らかの仕方で損なわれるとしても、そのことで私が私でなくなるわけではありません。

戦争中に空襲で顔や身体に大きな火傷を負ったある哲学者は、何週間も人事不省に陥りました。火傷を負った顔を見て、道行く子どもが怖がることがあったそうです。もちろん、顔がどれほど変わったところで、「私」が「私」でなくなるわけではありません。

私の祖父も戦争中に焼夷弾を受け、顔面に大火傷をしました。しかし、身体に傷を負ったからといって、そのことで祖父が祖父でなくなったわけではありません。私たちの身体もやがて機能を十分に発揮できなくなるでしょう。さらには、死によってこの身体の働きが停止するでしょう。しかし、そうなっても「私」が「私」でなくなるわけではありません。

死んだ人の「私」と触れ合う

同じことを心についていうこともできます。心の機能も低下します。例えば、認知症によって今しがたのことも覚えられなくなるとしても、「私」が「私」でなくなるわけではありません。**認知症を患っていた父はいろいろなことを忘れてしまいました**

が、父が父でなくなったわけではありません。

死と共に心が消滅するとしても、「私」は残る、「私」はずっと不死であり続けるということです。

このように、心も身体も死ねば消滅するかもしれません。しかし、私たちの身近な人が亡くなった時、心も体も両方なくなっても、だからといって、その人の「私」までなくなるわけではありません。

「私」が「心」や「身体」を使う時に何をしているのかといえば、目標を決めるのです。何かをしようと思う時、人間には自由意志があって、これをしよう、あるいはしないでおこうと決めることができるのです。この目標を実現するために、心また身体が、何を目標にするかを「私」が決めるのです。

だから、たとえ自分がどれほど空腹であっても、今自分が食べようとしていたパンを誰かに譲ることができるのです。

その**心や身体に何か障害を受けたとしても、私が変わるわけではありません。**心や身体が機能を十分に発揮できないだけです。

どんな制約があっても、自分で決められるところが、ものの運動とは違うところです。自分の行動を決めるのが「私」であり、この「私」はどんなことがあっても不死であり続けることができるのです。

マイクを使って話をする人のことを考えてみてください。話をしている時に、もしもマイクに故障が起きたら、話している人の声は届かなくなります。しかし、そのような場合でも、故障したのはマイクです。マイクを使って話をしていた人の声は遠くまで、否、まったく届かなくなりますが、それでもその人は話すのをやめたわけではありません。

死んだ人はこれまでと同じように、死後もずっと話し続けているのです。死んだ人を知覚的に知ることはできなくなります。つまり、見ることも、声を聞くことも、身体に触れることもできなくなります。しかし、だからといって、死んだ人が無になるわけではありません。折に触れて、死んだ人が生前語っていたことを思い出します。その時、**脳の中にある記憶が再生されたのではなく、死んだ人の「私」と直接触れ合っているのです。**

第3章

「愛する」とは

結婚は恋愛のゴールではない

阪神・淡路大震災の後、離婚が増えたという記事を新聞で読んだことがあります。何事もなければ、二人の関係が多少悪くても、離婚を決心することはなかったのかもしれませんが、家が倒壊し瓦礫の下に埋もれた時、夫が自分を置いて逃げ出したというような経験をしたらもはやそんな夫が許せないというわけです。

しかし、同じ状況に置かれた時、誰もが同じように思うとは限りません。**自分は動けなくても、先に夫や妻が逃げ出せてよかったと思う人はいるでしょう。**

ところが、私は意外に思ったのですが、コロナウイルスの影響で離婚は大幅に減少したという記事を読みました（東京新聞、二〇二〇年八月二十七日）。記事には「新型コロナウイルスの影響で在宅時間が増えた夫婦の『コロナ離婚』増加が懸念された」と書いてあります。これはたしかにありそうなことです。家で顔を合わせる時間が多くなれば、ぶつかる機会も増えるからです。

しかし、めったに顔を合わすことがなければ関係が悪くならないかといえばそうではないでしょう。単身赴任しているパートナーが以前であれば週末ごとに帰れたのに、今はそれも難しくなっていて、コミュニケーションが思うように取れないことが二人の関係に好ましくない影響を与えることはあります。

厚労省の担当者はコロナ禍で離婚が減ったことについて「社会全体が活動を自粛しており、落ち着いてから手続きしようと考える夫婦も多いのではないか」と推測していると記事にはありますが、これも本当とは思えません。待てるようであれば、離婚するほどの危機は二人の間に起こっていないのです。

コロナ離婚が増えなかった理由

三つのことが考えられます。

まず、これまでは職場で過ごし家ではあまり触れる時間がなかったのが、夫婦で過ごす時間が増えると、当然、ぶつかる機会も増えますが、例えば、夫が家事をしたり、子育てに関わる時間が増えたために協力的な生活をするようになった二人が以前よりも仲がよくなったかもしれないということです。

次に、夫がもっぱら外で働いているとしての話ですが、夫の苦労が妻や子どもたちの目に触れるようになったということです。外で夫や父親がどんな仕事をしているかはなかなか家族は知ることができません。在宅勤務に理解がない上司は家では仕事をサボっているだろうと考えています。本当に仕事をしているかを監視する会社もあるようです。実際には、仕事量は会社で働いている時よりも増えます。長い時間仕事をしているパートナーの姿を見て理解が深まるということは考えられます。

第三に、単身赴任をしていた人が県境を越えての移動が駄目ということになって、以前のように自由に家に帰ることが難しくなりました。しかし、関係が悪くなったことの原因をコロナウイルスに求めると、今は関係が悪くても、コロナウイルスが終息すればまた元の関係に戻れると思うのです。離婚が減ったのは、問題解決を先延ばししているということです。

長距離恋愛をしている二人にこのような先延ばしが起こることがあります。関係がよくないのは長距離恋愛のせいだと二人は思います。**近くにいて自由に会えれば関係はよくなると思いたい**のです。しかし、二人が結婚までこぎつけ同居するようになった時に何が起こるか。関係が必ずしも二人が望むようなものではなくても、二人が不和であることの原因を二人が離れて暮らしているために自由に会えないことに求めることができたのに、その理由がなくなってしまった時に現実に直面することになるのです。

結婚する前はよもや二人の間に離婚することになるかもしれないような大きな問題が起きると思ったことはなかったでしょう。そのようなことがあれば結婚していなかったでしょう。あるいは、結婚をゴールだと考えている二人はとにかくゴールに到達するまでは問題があっても目を瞑(つむ)ったかもしれません。

幸福が何かを知らない二人

ところが、結婚は愛のゴールではないのです。誰かのことが好きになり、しかもそれが一方的ではなく、自分が好きな相手も自分のことが好きであることがわかった時に、本当に生きていてよかったと思う人は多いでしょうが、互いが相手のことを好きだということを確認したらそれで終わりではありません。

今は使わなくなった言葉かもしれませんが、相思相愛の二人は結婚することを次の目標にするでしょう。今は恋愛を結婚と結びつけない人もいるでしょうが、結婚を目標、さらにはゴールとまで思っている人の方が今も多いように見えます。

しかし、**結婚してから先二人の間に何が起こるかは、結婚した時点ではわからない**のです。happy end ではなく、unhappy beginning かもしれません。もちろん、二人が結婚する決心をしたのは、この人とだったらきっと幸福になれると確信したからで、この人と結婚すれば、必ず不幸になると思って結婚する人はいないでしょう。

問題は二つあります。一つは、二人が結婚すれば幸福になれると思った時のその幸福が何かを二人が知らないということです。二人のうちのどちらかが、あるいは双方が、幸福を成功することだと考えていたら、二人がぶつかるような事態が起きることになるかもしれません。

二人がいい関係であり続けるためには、二人の目標が一致していなければなりません。目標といっても未来にある必要はありませんが、子どもが生まれ、会社で昇進し給与が増え、マイホームを建てるというようなことを目標にしていると、それが実現しないかもしれないという現実に直面した時に絶望することになります。

二人の目標が叶わない可能性を考える

今の時代はとりわけこんなことが現実味を帯びてきているといわなければなりません。一流と呼ばれている企業に就職したからといって、その会社が生涯存続しているとは限らないからです。子どもがほしいと思っても、子どもが生まれるとは限りません。

もう一つは、**結婚は恋愛のゴールだと思っていると、結婚すると愛を育む努力をしなくなる**ということです。もっともそう思っていても、結婚して間もなく大きな喧嘩をすると結婚はゴールでなかったということに否応なく気づかされます。そして、この喧嘩が時に二人の関係を致命的に悪くすることがあります。

付き合っていた時にまったく喧嘩をしなかった人は少ないでしょう。それでも二人が結婚することになったのは、その喧嘩が二人の関係にとって致命的ではなかったからです。結婚する前の喧嘩と結婚してからの喧嘩ではどこが違うのでしょうか。

結婚前に付き合っていた日々はいわばイベントでした。旅に出かけると、食事の準備をする必要はありません。片付ける必要もなければ、掃除も洗濯も旅から帰るまでしなくていいのです。

それに対して、結婚はイベントではなく、生活（ライフ）です。待っていても、何も起こりません。買い物に行って食事を作らなければなりませんし、後片付けもしなければなりません。もちろん、食事をするためには働かなければなりません。

付き合っている時に喧嘩をしても、それが二人の関係を決定的に悪くするほど大きな喧嘩になることはありません。今こんなふうに喧嘩をしても、結婚することを目標にしている二人にとって結婚前の時期は仮のものなので別れることにならないように抑制が利きます。

もちろん、必ず結婚すると決めていなければ話は別で、二人のどちらかが、あるいは双方が、別れることになってもかまわないと思っていたら、ちょっとした喧嘩も別れる理由にすることができます。

反対に、結婚するかしないかを決めていなければ、友人同士の喧嘩と同じで、喧嘩をしても二人の関係に大きな影響を及ぼすことはなく、喧嘩は一過性のもので終わることもあります。

結婚してからの喧嘩は、簡単には別れられないと思っているので、深刻なものになりかねません。簡単ではないので、一旦別れると決心すればその決心を覆すことは容易ではありません。

このように喧嘩をするならまだしも、結婚する前や一緒に暮らし始めた最初のように心が躍ることがもはやなくなり、単調な毎日の繰り返しとしか思えなくなるかもしれません。しかし先に見たように結婚はイベントではなくライフなので、毎日がジェットコースターに乗っている時のような大興奮の連続であるわけではないのです。

結婚は生活だが単調ではない

単調というのは二人の生活についての意味づけですが、毎日がイベントの連続でなければ、単調かといえばそうではありません。二つのことを考えなければなりません。

まず、**毎日が同じことの繰り返しであるはずはない**ということです。日の出、日の入りの時間は同じではありません。日の出、日の入りの場所も違います。自然現象のみならず私たちの気分も日々同じであるという人はいないでしょう。晴れ晴れとした日もあれば、気の塞ぐ日もあるでしょう。そのようなちょっとした変化を生活の中に見つけることができれば、毎日が単調だとは思えなくなるでしょう。先に、ライフとイベントを区別しましたが、上げ膳、据え膳ではないことは別にして、気分はイベントという結婚生活があってもいいかもしれません。そういう生活であれば、毎日が同じことの繰り返しにはなりません。

長く生きていれば、病気になることも事故や災害に遭うということもあります。そのようなことを度々経験したくはありません。そうであれば、病気になることもなく過ぎていく日々がありがたく思えます。

そのように思える時、結婚の目標を成功に見なくてもいいことを知ることになります。

恋愛に条件はいらない

恋愛は条件付きですると考えている人がいます。条件といえば相手の学歴、勤務先、収入などがすぐに頭に浮かびますが、なぜ恋愛に条件を付けるのか考えてみましょう。「もしもあなたが私を愛してくれるのなら、あなたを愛しましょう」というのが条件付きで恋愛をするということです。自分だけが相手を一方的に愛するのはおかしいと思う人がいます。つまり、私はあなたをこれだけ愛しているのだから、それと同じくらい私を愛するべきだと考えるのです。

恋愛に条件を付け、その条件を相手が満たさなければもはや愛せないとしたら、そのような人の愛し方に問題があったのです。その愛し方ですが、もしもあなたが私を愛してくれるのならあなたを愛するというのは、仕事の取引のようです。

なぜ相手が自分と同じくらい愛してくれていると思えれば愛するというような恋愛をするのかといえば、**自分だけが相手を好きになるという事態を避けたい**からです。

そのように思う人は愛することよりも愛されることに関心があるのですが、愛されないからといって愛さないというのはおかしいのです。

こんなはずじゃなかった、と思わないために

恋愛は条件付きでするものだと思っている人は、恋愛は量的なものではないことを知らないのです。たくさん愛するというようなことはいえないということです。愛は目に見えるものでもありません。愛は量的なものであると考える人は、相手が自分をどれだけ愛しているかということを確信したいがために、相手の愛が目に見える形で示されなければならないと考えます。

そこで、目に見えること、例えば容姿、収入、社会的な地位、プレゼントの多寡や価格、これが恋愛は条件付きでするると考える人のいう条件ですが、それらをこの人が自分を愛しているかどうか、この人は愛するに値するかの判断材料として恋愛をし、さらに結婚するかしないかを決めようとするのです。

問題は、この量的な、あるいは、目に見える条件が不変のものではないということです。

突然勤めていた会社が倒産するとか、病気のために入院することを余儀なくされて収入が途絶えるというようなことは、今の時代誰にも起こりうることです。会社が倒産するという場合でも、業績の悪化が、コロナウイルスのような外からふりかかる出来事に起因することもあります。そうすると、望んでいなくてもこれからの仕事を見直さなければならないことになります。

相手に何か差し迫った事情があるわけではなく、今の仕事を辞めて転職する決心をするということもあります。今の仕事を続けていいものか、一度も疑問に思わないで定年まで過ごす人は多くはないでしょう。

結婚しているのであれば、あるいは、結婚を考えているのであれば、今の仕事を続けるかどうかのようなことは一人で決めることはできません。これは二人で相談しなければなりませんが、結婚する時には外的な条件を重視していた二人のうちの一人が、あるいは、双方が考えを変えることがあってもおかしくはありません。

どんな仕事をしているか、また、どの会社に所属しているかというようなこと、**年収や社会的地位といったものはすべてその人の「属性」でしかなく、本質ではありま**

せん。そうであれば、属性が変われば相手への思いが変わるというのもおかしいのです。

若い時に美しかった人でも、男女を問わず加齢とともに容色は衰えます。相手が美しくなくなれば、もはやその人を愛することができないとすれば、また先の例では、相手が一流企業に勤めている時に付き合っていた人がその会社を辞めてしまったら別れるというような人は、相手自身を愛していたのではなく、相手の属性を愛していたのです。

そのような属性は不変ではありませんし、誰でも持ちうるものです。若い人が就職活動をする時に、ワープロソフトも計算ソフトも使える人材として自分を会社に売り込むのに似ています。パソコンは誰でも扱えるのですから、他ならぬこの「私」を採用してほしい、自分を採用することが会社にとっていかに価値があるかとアピールするのではなく、誰とでも取り替え可能な商品として自分をアピールしているわけです。

即戦力を求める企業側にも問題があります。新入社員に限らず今の会社ではすぐに成果を出すことが求められます。大学でも毎年何本も論文を書き学会で発表することが求められます。

恋愛や結婚の場合に、個人ではなく属性を見て、付き合うかどうか、結婚するかどうかを決めるのがおかしいことは明らかだと思うのですが、恋愛や結婚に条件を付けるのは、履歴書に書いてある学歴や資格を見て採用を決定する会社のようです。

愛する人がいても死ぬ時は一人

愛と結婚をめぐるさらなる問題は、孤独であることを恐れるので、共生するパートナーを求めるということです。しかし、人生を共にする人がいるから孤独であることを免れるかといえばそうではありません。

人はどんな人生を送っても最後に必ず死にます。哲学者の森有正が次のようにいっています。

「死が絶対の孤独であるとすると、生の中からはじまるこの孤独は死の予兆である」

（『流れのほとりにて』）

人は遅かれ早かれ間違いなく死にます。しかも、たった一人で死んでいかなければなりません。「死が絶対の孤独である」というのはそういう意味です。もう十年以上も前に心筋梗塞で病院に搬送された時、人はこんなふうに一人で死んでいくのか、何と寂しいものかと思ったことを今もよく覚えています。

「生の中からはじまるこの孤独は死の予兆である」というのは、人は生きている間に孤独を感じるのであり、孤独を感じる人は生きている時に死を体験しているということです。

このことは、見方を変えれば、生きている時に孤独を感じなければ、死も絶対の孤独ではなくなる可能性があるということです。人間である以上死を免れることはなくても、死に際して必ずしも孤独を感じないことがありうるということです。

生きている時に人を愛そうとする人は、孤独を克服しようとしているのです。この生における愛の経験はこの孤独に抗うものだといえます。

問題は、愛する者同士でも、ただ一緒にいるだけで孤独でなくなるわけではないということです。

必要なのは、人は他者との結びつきの中に自分が生きていることを知ることです。

そのことを知ればどんな状況にあっても孤独ではなくなり、たとえたった一人で死ぬようなことになっても、絶対の孤独を感じることはないでしょう。

会えなくても繋がれる

どんな状況にあっても孤独だと感じないことは難しいと思う人もいるかもしれませんが、自分が人と結びついていると思えるのは、誰かと一緒にいる時ではないはずです。むしろ、近くにいる人でも心は遠く離れていると感じる人もいるでしょう。

和辻哲郎が留学中に妻と交わした手紙が残っています（和辻哲郎『妻　和辻照への手紙（上）（下）』、和辻照『夫　和辻哲郎への手紙』）。

彼がヨーロッパに留学したのは二十世紀の初めのことですから、船で四十日かかりました。飛行機で行くという選択肢はなかったのでした。手紙といっても船便ですから、和辻が出した手紙が妻に届くには何ヶ月もかかりました。

それでも、和辻は毎日妻に手紙を送りましたが、妻の元に毎日届く手紙はいわば過去からの手紙でした。そこに書かれていることは今起こっていることではなく、数ヶ月も前のことですから、手紙を読むたびに二人が遠く離れて暮らしていることを強く意識したはずですが、二人が交わす手紙には今言葉を交わしているのと同じ喜びが溢れています。

遠く離れて暮らすと、やがて連絡が間遠になり、そのため関係をよくしない方向へ進むことは多いですが、必ずそうなるわけではありません。それは**それまでの二人の関係がどんなものだったかによります。**

関係がよければ、二人を取り巻く困難なことが起こっても、そのために関係が必ず悪くなるわけではありません。反対に、関係がよくなければ、よくする努力をしない限り、何も起こらなくても関係は遅かれ早かれ悪くなるでしょう。

コロナウイルスの影響で在宅で仕事をすることになった人からよく聞くのは、仕事はやはり対面でないとできないということです。仕事それ自体は自宅でできないわけではないが、顔を合わせてする無駄話からよいアイディアが浮かぶというようなことをいう人もいます。リモートワークでは人との関係を取り結べないというわけですが、**離れている時に関係を築けない人は実際に会っても築けないといっていい**くらいです。

とにかく、会いさえすれば何とかなると思うのは、相手の愛を確信できない恋人のようです。たとえ直接会えなくても頻繁に連絡を取ろうとすると、相手は自分が束縛されているように思うようになり、やがて気持ちは離れていくでしょう。森有正は次のようにいっています。

「愛は自由を求めるが、自由は必然的にその危機を深める」(『砂漠に向かって』)

相手に縛られず自由であると感じられる時、そのように感じることを許してくれる人の愛を強く感じます。束縛や拘束、支配はかえって相手を自分から遠ざけることになります。

ところが、それでは自由でいることを相手に許すと、相手の関心が他の人に向かい、自分ではない他の人を愛するようになるかもしれません。もちろん、自由であれば自分もまた他の人を愛するようになるかもしれないのです。相手を縛るのも、相手を縛らないのも、愛の危機を深めることになります。

ただし、このようなことが、森がいうように「必然的」であるわけではありません。自由であれば、他の人に必ず関心が移るとは限らないからです。

触れなくても存在を感じられる

先に、死んだ人はもはや見ることも、声を聞くことも、身体に触れることもできないが、だからといって、死んだ人が無になるわけではないということを見ました。本を読んだ時、たとえ著者がもはや存命でなくても、著者を感じるという経験をします。生きている作家であれば、新刊が出るでしょうが、故人であればもはや新しい本を読むことはできません。それでも、本を読むたびに著者を感じ、著者と対話することができます。

遠く離れて住んでいる人を思い出している時、直接触れ合うことはできなくても、その人の存在を強く感じることができるでしょう。愛する二人は会っている時に愛を育むことができますが、離れている時でも相手の存在を強く感じられるはずです。

他方、会っていない時も相手を感じられるといっても、あまりに自分本位の想像を膨らませるのも問題です。

森は初めて女性に郷愁に似た思いと憧れとそして仄かな欲望を感じた頃のことを書いています（『バビロンの流れのほとりにて』）。実際には、森はその憧れた女性とは一言も言葉を交わしていません。何ら言葉を交わすことなく、夏が終わり、彼女は去ってしまいました。

そんな彼女なのに、森は「全く主観的に、対象との直接の接触なしに、一つの理想像を築いてしまった」のです。しかし、そのような理想像は現実の彼女ではなく、森がイメージした「原型」でしかありませんでした。

子育ては親を育てない

あるテレビ番組で三歳くらいの子どもが「あなたは誰の子どもだと思うか」と問われて、しばらく考えた後、「お母さんのかな」と答えているのを見たことがあります。

母親は自分の身体の中で育てて生まれてきたことを忘れられないのかもしれませんが、子どもを親は所有できません。子育てという言い方を一般的にはしますが、実際には、**親は子どもが育つのを援助できるだけです。**たしかに、子どもは一人で生きてはいけませんから、親の援助は必要です。それでも、親ができるのは、子どもが育つ援助だけなのであって、それ以上のことはできないのです。

子育ての目標は自立です。いずれは、子どもは親の手を借りないで、一人で生きていけるようにならなければなりません。いつまでも子どもが親を必要とするようなことがあってはならないのです。

しかし、大学生の子どもを毎朝起こしているというような話を親から聞くことがあります。大学の入学式や卒業式に親がついていくこともどうかと思いますが、就職の面接に親が同行するという話を聞くと驚いてしまいます。何よりも子どもの方が親が同伴することに反対しなかったのだろうかと思います。

子どもが早い時期に自立するためには、親は極力子どもが自分で判断し、自分でできることに手出し口出しをするようなことがあってはいけないです。

子育てはあくまでも子どものためにするのであり、親が自分のためにするのではありません。こんな人生を歩んでほしいと親の理想を子どもに押しつけることはできないということです。親が思い描いていたのとはまったく違う人生を子どもが生きようとした時、どんな人生を生きようとするかという子どもの人生目標が優先です。子どもの人生だからです。

子育てのために自分を犠牲にしてはいけない

しかし、こんな当たり前のことなのに親がわかろうとしないことはよくありました。とりわけ、子どもが親の理解を超えることを言い出すような時です。親がこの子は大学に進学して会社に就職するものだと思っていたところ、中学校を卒業したらすぐに働くと言い出すと親はどうしていいかわからず、相談にこられることがありました。そのような人生がどんなものなのか、親はまったく想像できないのです。

しかし、これからの人生がどうなるかが想像できないのは子どもも同じです。そうであっても、親ができることは子どもが自力で人生を生きられると信頼し、何か困ったことがあればいつでも相談にのるといっておくことだけなのです。

子どもを育てる親にも自分の人生があるのですから、子どもを育てるために自分を犠牲にするというのも間違っています。**子育てに自分の時間とエネルギーを注ぐというのはおかしい**のです。子どもが将来大学に進学することを目標にして日々勉学に励むとしても、勉強するのは子どもであって、親ではありません。

今年は受験の年だが、親はどうすればいいかと相談を受けることがあります。テレビの音量を下げ、声を潜めて会話をした方がいいのかとたずねる親には、普通に生活をすればいいので、受験生だからといって特別扱いする必要はないと話します。家事も家族の一員として子どもも分担すればよく、家事をしたからといって成績が伸びないようでは駄目です。

今は自分のための子育てと自己犠牲的な子育てに分けましたが、このように分けられないことがあります。「あなたのためを思って」と子どもに受験勉強を強いる親は、自分の時間とエネルギーをすべて子どもに注ぎ込み自己犠牲的な生き方をしているように見えますが、その実、子どもを自分のために育てているのです。自分自身が果たせなかった夢を子どもに託しているのかもしれませんが、子ども自身が親の敷くレールに乗ることを自分自身の判断でよしとしているのでなければ、子どもにとっては大迷惑だといわなければなりません。

子育てをして初めて一人前というような言い方をする人がいますが、子育てというのは子どもが自力で生きていけるように親が援助をすること以上のものではありません。**子育てをしたからといって、人間として成長できるわけではありません。**人間として成長することは大切なことかもしれませんが、子育てをすることで成長するわけではありません。

そもそも、自分が成長するために子育てをしていると思う人は実際に子育てをしている人の中にはいないでしょう。そのような人がいるとすれば、子育てを、あるいは子どもを自分が成長するための手段として使っているということなのです。子育てを通じて何かを学ぶということはあるでしょうが、学ぶことで自分が成長するかどうかということは少なくとも子育ての真っ只中にある人は思いもよらないことでしょう。

当然、いろいろな人生があるのですから、結婚しないと決めている人、結婚していない人がいます。子育てをして初めて一人前になるというようなことを、結婚して子どもがいる人が、結婚していない、子どものいない人にいうべきではありませんし、そういうことをいう人がいても、耳を傾ける必要などまったくありません。

そのようなことをいう人がいるとすれば、別の文脈で取り上げましたが、アドラーがいう「価値低減傾向」の例です。自分の優越性を結婚していない人の価値を貶めることによって証明しようとしているのです。**結婚していなくても、子育てをしていなくても、そういったことは人間の価値には何の関係もない**ことですから、価値を貶めることはそもそもできないのです。

子育てをすることで自分が成長したと考える人は、子育てをしていない人、結婚していない人、子どもがいない人よりも自分が苦労した分だけ優れていると錯覚してしまうかもしれません。もちろんそんなことはありません。

老いた親を愛せるか

老いた親を愛することができるのかできないのかといわれたらできます。しかし、このような問いは親を愛することはできない、あるいは、愛することができても難しいということが前提になっています。

とりわけ、子どもの頃から親との関係がよくなかった人にとっては、親が介護を必要とするようになった時、この親は私を子どもの頃から育ててくれた人なのだから、今こそ親を愛そう、親から受けたことを親に返そうなどとはとても思えないでしょう。

まず、親の介護をする時に必要なことは、**親を介護することと親を愛することとを切り離す**ことです。子育ても同じです。親が必ず子どもを愛していなければ子育てができないかといえばそうではありません。もちろん、多くの親は子どもを愛しているでしょうが、このことがかえって子育ての時に負担になることがあります。愛しているはずなのに、子どもの言動にイライラしたり、叱りつけた時には自分は親として失格ではないかと悩むことになるからです。

自分の子どもだからといって、親が子どもを愛せるとは限りません。子どもを愛することができれば、子どもとよい関係を築けるわけでもありません。もしもそうであれば、子どもの言動に苛立ちを感じたりした時、親は子どもを愛せていないことになります。親だからといっていつも子どもを愛せなければならないわけではありませんし、そんなことはできません。この子どもといい関係であると思ったその時だけ、親子の間に愛という感情が生じていると考えた方が、親は楽になるでしょう。親であれば子どもを愛して当然ではないのです。

子どもと一緒に過ごしている時に子どもと心が通い合う瞬間があって、共に過ごせる喜びを感じられる時に、親は子どもを愛していると感じられます。たとえ次の瞬間に険悪な関係になることがあっても、総じて楽しい時間があれば、そのような親子はよい関係であるといえます。初めから理想の関係を目指してしまうと、現実の関係をそこから引き算してしか見ることができなくなります。

愛しているから介護がうまくいくわけではない

親を介護する時も同じです。初めから何もかもうまくいくはずはありません。子どもだから親を愛せるとは限らないからであり、愛しているからといって介護がうまくできるとは限らないからです。

老いた親と関わっていれば、苦労は多いですが、そのうち何かの折に親と心が通い合っていると思えるような時がきます。二人で大きな声をあげて笑っている時もあります。

そんな時があれば、たとえこれまでの人生において親との関係が必ずしもよくなかった人であっても、これまでのことはどうでもよいと思えます。むしろ、これまでのことを忘れることができたからこそ、そのような瞬間を経験できるのです。

次に、介護は子どもが親から受けたものを親に返すためにするものではありません。親の方もいつか私があなたを小さい時に育てたから、今度は介護してほしいといってはいけないということです。

子どもは親から受けたものを返すことはできません。介護をすればいくらかは返せるかもしれませんが、どの親も膨大なエネルギーと時間を子どものために使ったはずであり、到底返せるものではありません。だからといって、その分をすべて子どもから返してほしいと思う親はいないでしょう。

与えたら返すという原則は親子関係では通用しないのです。もしもどうしても親から受けたものを返したいと思うのなら、子どもがいる人であれば子どもに、そうでなければ社会に返すことはできます。

子どもが親を介護したからといって、それは子どもの好意であって義務ではありません。子どもだから親を介護して当然と思っているとしっぺ返しをくらうことになります。

介護の場合も、子どもが老いた親を介護して当然というような考えを自明のこととして受け入れてはいけないと思います。

理想の家庭は自分で作る

誰も自分がどんな家庭に生まれるかを決めて生まれてきたわけではありません。どんな家庭に生まれるかは選ぶことはできないのです。

たしかに、子どもは時間的には生まれる前から存在していた家庭に後から入ることになりますが、子どもが誕生すると、家庭という共同体はその瞬間から変わり始めます。

厳密にいえば、誕生の瞬間からではありません。子どもが生まれてくることがわかったその時から、夫と妻が二人で暮らしてきた家庭のあり方は変わり始めるのです。ですから、どんな家庭に生まれるかを決めることができなくても、自分がその家庭に入ったことで家庭を変えることができるのです。

二人が付き合い始めた時のことを考えると、自分が共同体を変えられるということの意味がわかります。二人がこの場合共同体の成員ですが、二人が付き合う前にこの共同体は存在していなかったのです。家族の場合であれば、既にあった家族に後から所属することになりますが、二人の共同体は二人が付き合い始めた瞬間に成立するのです。

先にも見たように、人は自分の意志でこの世界に生まれてきたわけではありません。子どもはどんな家庭に生まれてくるかも、親も選ぶことはできません。家庭という共同体に自分が所属しているということ、居場所があると感じられることは誰もが願うことですが、自分が生まれた家庭に居場所を見出す努力、不満があるのであれば、自分が望む家庭に変えていく努力をすることはできます。

子どもは大人からの援助を受けなければ生きていくことはできませんでした。しかし、だからといって、**子どもはいつも大人に従わなければならないわけではありません。**何かしてみたいことがある時に、それを大人にいってはいけない理由はありません。

私は子どもの頃ほしいものがあっても親に買ってほしいとあまりいわなかった記憶があります。実際のところは、親は私にいろいろなものを買ってくれていたはずなので、親から何も買ってもらえなかったなどといったら、きっと親はがっかりしたでしょうが。

私と違って積極的に自分がしたいことを親にいえる人はいるでしょう。そんな時、親はいうのです。何をしてもいいが、自分で給料を稼げるようになってからだ、と。そういわれた時に、おとなしく引き下がるのではなく、こういえばいいのです。今は勉強をするのが私の仕事なのだ、と。家族にはそれぞれの役割があります。子どもだからといって、無理なこと、理不尽なことを押しつけられたらそれに対してきちんと反論していいのです。

自助を押しつけられるのはおかしい

本章でこれまで見てきた恋愛、結婚、子育てや家庭のあり方についてはいろいろな形があっていいはずですが、かくあるべきだという理想を押しつけようとする人がいるように見えます。

政治家が、公助よりも自助、共助が必要だというような時代です。政治家に幸福にしてもらおうと思うのは間違っていると私は思いますが、政治家によって不幸にさせられたくはありません。

いわれなくても、我が身は自分でしか守れないと思いますが、政治家が自助、共助といって自己責任を押しつけるのはおかしいでしょう。子育ては家族がするべきだと考える人たちは、子どもは親が、ことに母親が育てるのが当然だと考えます。

そのような考えを無批判に受け入れる人は今は多くはないでしょうが、親子の関係はどういうものかを、**親だから子どもを、子どもだから親を愛して当然というような「道徳」が本当なのかを疑う**ところから始める必要があると私は考えています。

表面上は皆が仲のよい共同体にあるのは、偽りの結びつきでしかありません。

分断はあるのが普通

三木清が、二十三歳の時に書いた『語られざる哲学』の中で、イエスの言葉を引いています。

「われ地に平和を投ぜんために来たれりと思うな、平和にあらず、反って剣を投ぜんために来たれり。それ我が来たれるは人をその父より、娘をその母より、嫁をその姑嫜より分たんためなり」

これは『マタイによる福音書』から引かれたものです。イエスは「平和」ではなく

「剣」を投じるため、親子、嫁姑を分かつためにこの地にやってきたというのです。

子どもが何の疑問もなく、あるいは親に抗うことができずに親に従っていれば、表面的には何の問題もないよい親子に見えます。そのような関係は一度は壊す必要がある。それがイエスがいう、「剣を投じる」ことであり、親と子どもとの結びつきなどを「分かつ」ということの意味です。

共同体の中にあって、たった一人でもそれは違うのではないかという人がいれば、剣を投ぜられた共同体の一体感、連帯感はたちまち失われます。**偽りの結びつきを断つために剣を投じることが、真の結びつきを作り上げるのです。**

剣が投じられると家庭の中では親子の断絶、さらに大きな共同体を考えれば、世代間の断絶や世界の分断化が起こります。しかし大事なことは、このような断絶や分断があってはならないと考えることではなく、むしろあるのが当然なので、考え方が違う者同士がどうやって共生していくかを考えることです。そのためには、対話をしていく必要があります。そうすることで誤解があることが判明するかもしれませんし、互いに対立するのではなく、協力して戦う対象が見えてくるかもしれません。

偽りの結びつきを断つために「剣を投じる」ことは戦うことではありません。これがどういう意味なのかさらに考えていきましょう。

第4章

「働く」とは

仕事は人生の重大事ではない

「何のために働くのか」と問われたら、「生きるためだ」と答える人は多いでしょう。たしかに、働かなければ生きていくことはできません。その意味では生きるために働くと考えるのは、間違っているわけではありません。しかし、人は働くために生きているわけではないのです。

こんなふうに考えてみたらわかります。人は呼吸しなければ生きてはいけません。だからといって、呼吸するために生きているわけではありません。私は心筋梗塞で倒れて以来、長年飲み続けている薬があります。死ぬまでこの薬を飲み続けることになるでしょう。しかし、私はこの薬を飲むために生きているわけではありません。

薬を飲むのはまた発作を起こさないため、健康に生きるためです。薬を飲むことの他にも、努めて歩くようにしていますが、これも健康のためです。

もしも突然働けなくなったら

しかし、私は健康になるために生きているのではありません。健康になることは生きることの究極的な目標ではないからです。

働くことも健康になることと同様に、それ自体が生きる目標ではありません。それでは、生きる目標は何か。それは端的にいえば、幸福であることです。働くことも健康になることも幸福に生きるための手段です。なぜこれらが生きることの究極目標にはなりえないかといえば、**働けなくなったり、健康ではなくなったりしても、幸福でなくなるわけではないからです。**

働くことを始めとして、何かができることに価値があると今日多くの人が考えています。このように考える人は目下元気で働けているのでしょうが、やがて歳を重ね、若い時のように身体を動かせなくなると、自分にはもはや価値がないと思う人がいます。

若い人も突然病気で倒れることはあります。それまで何の苦もなく働けていたのに突然働けなくなると、その時の絶望感は、歳を重ね少しずついろいろなことができなくなる高齢の人の比ではありません。

若い人の場合は、病気が治れば再び元の生活に戻れる可能性も高いですから、高齢の人とは違うともいえますが、若い人でも病気になっても必ずよくなるとは限りません。少なくとも、病気で倒れ入院した時には病気が不治のものであるとは思いもしていなかったでしょうから、そのことを告げられた時のショックは大きいでしょう。

それほどまでに身体を動かせること、身体を動かして仕事ができることが自明のことだったわけで、そうすることに自分の価値を見出していた人が働けなくなった時に自分にはもはや価値がないと思うようになるのは当然でしょう。

働くことに価値がないというのではなく、働けなくなったからといって自分に価値がなくなるわけではないといいたいのです。人の価値は何かができることにはないと考えれば、**働けなくなっても自分の価値がなくなると恐れることはありません。**

人間が生きる目標はこのように考えれば、働くことではなく、より上位の目標があると考えることができます。たとえ病気や高齢のために身体を動かせず働けなくなったとしてもそのことで自分の価値がいささかも減じるわけではないのです。

生きる目標は先に見たように幸福です。だから、今働いていても少しも幸福だと考えられない人は、今の仕事が自分には向いていないのではないかと再考する必要があります。これは仕事の能力についていっているのではありません。仕事についての専門的な知識があっても、今している仕事に満足しているとは限りません。

働くこと＝生きがい？

仕事をしていて満足感を持てるのは、それによって高収入が得られるからではありません。**幸福は収入の多寡とは関係がありません。**仕事で収入を得て、それで日々の生活の糧を得るだけではなく、自分が楽しめることに稼ぎを投入する人はいます。

私が入院していた時にお世話になった看護師さんでスノーボードが趣味の人がいました。冬はもとより春になっても京都から北上して山形くらいまで雪を追いかけていくというのです。

それでは、日頃の看護師の仕事はこの趣味を楽しむための手段でしかなかったのかといえばそうではありません。普段の仕事は忙しく、生計を立てるためにつらいけれども、週末がくることだけを心待ちにしているというのでは幸福に生きているとはいえません。週日に働いている時には生きがいを感じられないからです。

働くことが生きがいだと考える人もいるでしょう。そのような人にとって働くことは生きることの手段ではなく、働くことが生きることそのものです。

心筋梗塞で倒れた時、退院後、病気を理由に仕事を断っていいか主治医にたずねたことがありました。どんな仕事でも引き受けられるほど体力がすぐに回復するとは思えなかったので、そもそも仕事ができるのか、あるいは、できるとしても仕事を選ばなければならないとしたら、どんな基準で選べばいいのかを知りたかったのです。

医師の答えは「大いに断りなさい」というものでした。病気を理由に仕事をすべて断る、反対にすべて引き受けるというのであれば迷うことはなかったでしょうが、断るようにといわれたものの、実際に断れるかはその医師の答えを聞いた時はわかりませんでした。

退院する頃には入院していたことが知れ渡ったのか、仕事がこなくなりましたが、やがて少しずつ仕事がくるようになると仕事を選ばないわけにはいかなくなりました。

人はいつも合理的に生きているわけではありません。働くことについても同じです。

どの仕事を引き受け、また断るかについては合理的な理由があるわけではないといえます。

仕事を引き受ける基準とは

しかし、実際にはそれほど気ままにこの仕事は引き受ける、この仕事は引き受けないと決めたわけではありませんでした。先約があれば当然断りますが、先約がなくても断ることがありました。端的にいえば、仕事が何らかの仕方で他者に貢献しうるのであれば、引き受けようと考えたのです。

仕事がただ生計を立てるためではなく、また、何か別の楽しみのための手段でもなく、また、仕事そのものが生きがいであるためには、自分の仕事が何らかの仕方で他者に貢献していると感じられる必要があります。

完全に健康を回復して、どんな仕事でも引き受けられるか、あるいは、回復せず、どんな仕事も断らなければならないというのであれば、迷うことはなかったでしょうが、実際には退院後もずっと療養をする必要がありながらも、外に出かけられないほどでもなかったのでした。

そこで、私は仕事を引き受けるか引き受けないかを決めなければなりませんでしたが、一見、不合理な選択をしているように見えてもそうではありません。

まず、報酬の多寡は仕事を受ける時の唯一の基準にはしませんでした。経済的には報われても、その仕事をする気持ちにならないということはあるからです。自分の信念を捻じ曲げてまで報酬を得るためにしなければならないというようなことがあれば、経済的に報われても満足することはないでしょう。

ある編集者は、出版社に入る前は、本を読むのが好きだったのに、仕事で本を読まなければならなくなると、あれほど好きだった本が少しも好きではなくなったという話をしていました。

これは研究者も同じです。例えば、プラトンの対話篇を読むことは実に楽しいことなのに、プラトン哲学に関する論文や本を研究のために読まなければならなくなると、研究はたちまち苦しいものになってしまいます。

これは私にとってはそうだったということであって、中には研究が好きでたまらない人はいますし、論文を上手にまとめ上げることができる研究者もいます。私はプラトンの対話篇を読むことは面白くても、研究論文などを読んでいると、人の噂話ばかり聞かされているような気になってしまい、研究が少しも楽しいとは思えなくなってしまいました。

何のために仕事をするのかということは、仕事が楽しくて仕方ない人は考えないでしょうし、その仕事をしたいからとしかいえません。

他方、仕事はそれほど楽しくないし、それどころか苦痛だと感じている人は多いはずです。そのような人は、仕事で一日のかなり長い時間を拘束されていると感じるでしょう。**仕事をしていて楽しくなければ、仕事をする意味などそもそもない**のです。

その仕事は他者へ貢献できているか

仕事は楽しいか。これが仕事を選ぶ時のもう一つの理由になります。どんな時に仕事をしていて楽しく感じられるのかといえば、自分が仕事によって他者に貢献していると思える時です。

そんなことをまったく考えずに、ただ利潤を追求するということになれば、仕事によってたとえ多くの報酬を得ることができ、それによって生活が豊かになったとしても、そのような生活は幸福とは遠く隔たったものになります。

会社や上司からの指示で客を騙して利潤を追求することを強いられた時、その仕事が満足のいくものであり、そのような仕事で成功すれば幸福な人生を送れると思える人の方が問題なのです。

生命保険に入っていたことがありました。父が私の意志を確認しないで知らない間に私名義で保険の契約をしてくれたのでした。それが満期になるので新たに契約をしようとしたところ、当時、私の身体の具合がよくなくて、健康診断を受けなければならないことになりました。

保険会社の人は私を産婦人科医のところへ連れて行きました。この医師は保険会社の有利になるように、健康に問題があって、本来であれば保険に入れない人も問題ないと診断するので、この医師の診察を受けることになったのではないかとこの時思いましたが、実際のところどうだったかはわかりません。

かくて、無事契約を結びましたが、私の部屋を後にした直後、私が聞いているのも知らなかったのでしょう、外交員は「やったあ」と大きな声で叫びました。こんな不正を犯してでも契約を取ることをやましいどころか喜ぶ人がいることに驚きました。

高齢者がおよそ使うはずもないオプションをつけて携帯電話やスマートフォンを売りつけることがあるというニュースを読んだことがありますが、必要もないオプションを高齢者に契約させることを強いられた人が仕事に生きがいを覚えることはないでしょう。

いつか家電量販店にカメラを買いに行った時に対応した店員さんが、「このカメラは非常にいいカメラなので、プライベートでも使っている」というのを聞いて、それほどいいカメラなのだと単純な私は思ってしまいました。

ところが、数週間後、今度は妻がカメラを買うためにその店を訪れたところ、たまたま私にカメラを勧めたのと同じ店員さんが妻に近づいてきて、別のカメラについてこういうのです。「このカメラはいいカメラなので、プライベートでも使っている」と。

もちろん、この店員さんはカメラを売っているだけに、複数のカメラを個人で所有していることはありえます。私も複数のカメラを持っていますから、本当に二台のカメラを所有していたのかもしれないのですが、私にはこの店員さんがカメラを売るためのセールストークとしてプライベートでもこのカメラを使っているといっているとしか思えませんでした。

生きるために働くということ

このようなことをしてまで仕事によって高収入を得ることができるとしても、自分の仕事が他者に貢献していると思えなければ仕事は続かないでしょう。

他者に貢献していると思えればこそ、生きがいを感じることができます。人は仕事をするために働いているのではなく、生きるために働くというのは、**仕事をすることで生きがいを感じられる**ということであり、生きがいを感じられることができればこそ幸福に生きることができるのです。

定年退職をし時間ができた人が（今の時代はそういう人は少ないのかもしれません

が）これからは趣味に生きると高価な一眼レフカメラを買おうと店にやってきた時に、一眼レフカメラを買わず、最初はスマートフォンで写真を撮ってみたらどうか、一万枚くらい写真を撮って写真を撮るということがどんなことか少しわかってきて、最初に買ったスマートフォンには飽きたらなくなればその時一眼レフを買ってみたらどうかというようなことがいえるようであれば、仕事は面白くなるでしょう。こんなことをいって客がカメラを買わなければ店の利益にはならないでしょうが。

いつか七十代の男性が最近妻を亡くしたという話をしているのをテレビで観たことがあります。「仕事なんかどうでもよかったのだ」というその男性の言葉から、彼が妻をこよなく愛していたことがわかりました。

そのことで、人生において重要なことは仕事ではないことがこの男性の言葉からわかります。仕事をしていけないわけではもちろんありませんが、仕事をすることでより大切なことを犠牲にしては意味がありません。

人工知能は神ではない

インターネットの書店は私のように都会から離れて住んでいる者にとっては便利なのでよく使っています。その書店の膨大な情報を集めるコンピュータのアルゴリズムが本を選んで勧めてくるのですが、時になぜこの本をほしいと思っていることがわかったのだろうと驚くことがあります。もちろん、まったくの見当はずれのものも中にはありますが、あまりに的確なお勧め本が画面に表示される経験をすると、やがて自分で本を選ばずにコンピュータに判断を委ねる人が出てきても不思議ではありません。

しかし、自分では何を読んでいいか判断できない人は、コンピュータでなくても新聞や雑誌などに載る書評やベストセラー一覧などに頼って読む本を探してきたでしょう。今やそれらに代わってコンピュータの推薦する本を読むのです。

本が好きな人であれば、他の人がどういっているかには関係なく、自分で面白い本を見つけることができます。ベストセラーが必ずしもいい本であるわけではありません。こんなに心躍らせて夢中に読んだ本があまり読まれていないことを知って驚くこともよくあります。そのような時には、自分で本を見つけた喜びは一入(ひとしお)です。**読んでみたけれど面白くなかったという経験は自分で本を選べるようになるために必要ですが**、役に立つ本だけを読みたい人はコンピュータのアルゴリズムに依存してしまいます。読んだけれど面白くなかったとか、高いお金を出して買ったのに損をしたというような経験をしたくないのでしょうが、面白くない本を読めばこそ、自分で選べるようになるのですから、その手間を惜しんではいけないのです。

政治家まで政策を決定する時に、コンピュータに頼るようになることを想像すると怖いです。今既に行われているのかもしれませんが。問題は、たとえ自分では理解できないような政策をコンピュータが勧めても、なぜそうなのかが理解できず、コンピュータの判断なのだから、それに従えばいいと考えられるようになると、コンピュータは神のような存在になってしまいます。

人工知能を恐れる必要はない

大事なことは、人間がコンピュータの助言の是非を的確に判断することです。このようなことは当然のことのはずですが、判断に至るまでの経過がまったくブラックボックス化してしまうと、風が吹けば桶屋が儲かるというような荒唐無稽な結論でも信じてしまう人が現れるでしょう。

どれほどコンピュータが進化しても、コンピュータは人間に代わって人生を生きることはありません。コンピュータも文章を書くなどある程度は創造活動ができるようになるかもしれませんが、人間の創造活動がすべてコンピュータにとって代わられることはありません。

人工知能が脅威なのではなく、**人工知能が人間を支配するのではないかという恐れを人間が持っていることが問題なのです。**反対に、人工知能が人間の諸問題をたちどころに解決してくれると思う人もいます。

人工知能に恐れを持つ人も間違うはずはないと思い込んでしまう人も、人工知能と人間の脳を比べ、前者が後者よりもはるかに優れたものになると考えるからです。

さらに、人工知能に一方で恐れを、他方で希望を持つのは、人間の知的活動を脳が行っていると考えているからです。その人間の脳よりも人工知能の方が優れていると考えるのです。

医師が診断に人工知能を使うと聞けば、人間の医師よりも正確な診断が下せるではないかと思う一方で、人工知能の診断が本当に正しくて、余命の予測にまで人工知能を使うとすれば、たとえそれが正しくてもそのような予測を人工知能が下すことに恐れや不安を持つ人がいてもおかしくはありません。医師は自分で告知をする責任を逃れられるかもしれませんが、考えなければならないいくつかの問題があります。

今日の医療の現場では、診断が必ずしも正しいとは限りませんし、余命の予測なども確実にできるわけではありません。先に何が起こるかがわからないのが人生なので、もしも人工知能が確実に正確に診断を下せ、余命までわかるとすれば、ひとたび余命を宣告された人は生きる希望を持てなくなるかもしれません。

中には、余命を知りたい人がいるかもしれません。そのような人は運勢を占ってもらう人と同じです。運勢の場合は外れるという可能性は当然あり、その点、人工知能も同じですが、人工知能がかなり高い精度で余命を判断することができるようになり、いついつに死ぬといわれたとすれば、その時絶望するしかないのではないでしょうか。

何が起きるのかわからないのが「人間」

臓器移植など医療の現場全般で起こる問題がここにもあります。**できるからといってしていいわけではない**ということです。仮に技術的に可能なことであっても、人工知能を治療のために必要な正確な診断をするために使うのであればまだしも、余命の宣告のために使うことが望ましいかどうかは疑問です。

以上見てきたような人工知能についての過剰な恐れも希望も人間をものであると考えていることに由来すると私は考えています。

石は手を離せば確実に落下しますし、当然その進路を確実に予測できます。しかし、ものではない人間が次の瞬間に何をするかを予測することはできないはずです。なぜなら、人間には自由意志があるからです。

もしも自由意志の存在を認めなければ、何をしてもそれを自分が選んだものでないことになるので、人間はその選択に責任がないことになります。人間には自由意志があると考えることは私にとってはほとんど自明のことなのですが、今日の人工知能をめぐる現状を見た時に、人間には自由意志はないと考える人が多いことに思い至ります。

デジタル技術で亡くなった人を蘇らせる試みがあります。ディープラーニング（深層学習）によって、亡くなった人についての過去のデータを集めることで、亡くなった人が生前と同じ話し方、表情で話すのです。それを見て、本当に亡くなった人が蘇ってきたと思って、涙を流してその言葉に耳を傾ける人がいます。

人工知能が死者を蘇らせられることを肯定する人は、人間には自由意志はない、人間もコンピュータが作り出した機械と変わりがない、過去のデータをすべてインプットすれば死者を蘇らせることができると考えているのです。

しかし、**人間は本来、何かによって決定されるような存在ではない**。これまでどんな人生を送ってきたとしても、また今現在、どんな不幸な境遇にあっても、過去や今置かれている状況が自分を決定するわけではない。どんな苦境にあっても、人は自分の意志で何をするかを決めることができる。ここに人間の尊厳があると私は考えています。

さらなる問題は、歌手であれば、その声や歌う時のしぐさを正確に再現するというようなことであれば、よく似ていることに驚くくらいのことですが、政治家や宗教の教祖が人工知能で蘇って語りかけた言葉に無批判に耳を傾けるというようなことが起こるかもしれません。実際に語るのは蘇った死者ではなく、誰かが死者に語らせているのです。

定年後も変わらない「私」

今は定年を迎えてもまだまだ自分は若いと思っている人が多いでしょう。昭和一桁生まれの私の父の定年は五十五歳でした。私自身がその年になった時、父はこんなに若く定年を迎えたのだと驚きました。

実際には、父は定年後、なお十年仕事を続けましたが、定年後に働くかどうかを自分で決められた父の世代の人は幸福だったでしょう。十分な年金をもらえず、働きたくなくても働かざるをえないのと、働くことに生きがいを感じ、自分の意志で働くというのでは雲泥の差です。

今の時代、年金の支給開始も遅く、年金額も多くはないので、老後にどうやって生計を立てるかを考えないわけにはいきません。働かなければ食べていけないのではないかという不安はたしかにあります。働きたい、働きたくないという問題ではなく、否が応でも働かなければならないのです。

しかし、このような厳しい現実の中にあっても働くことが好きな人にとっては働くことが生きることであり、働いている自分が幸福に思えます。

働くことの目的は幸福

しかし、一億総活躍社会などといって、歳を重ねてからも働くことをよしとする生き方を国が上から押しつけるなら**生きがいの搾取といわなければなりません。**

押しつけられるまでもなく、生きるためには働かなければならない、働いてお金を稼がないといけないと考える人は多いでしょう。たしかにその通りなのですが、人は生計を立てるためにだけ働いているわけではありません。先にも見たように、呼吸しなければ生きてはいけませんが、呼吸するために生きているわけではないのと同じです。

ところが、いつの間にか働いてお金を稼ぐことが自己目的化してしまいます。つまり、働いてお金を稼ぐことには何か目的や目標があったはずだったのに、それが何であったかがわからなくなってしまうのです。

働くことの目的は幸福です。頑張って働いているのに少しも幸福に思えないとしたら、働き方に改善の余地があるということです。

どんな仕事をしているかは関係ありません。その仕事によって収入が多いか少ないかも関係がありません。収入が多いからといって、満足できるとは限らないからです。

しかも、**問題は、仕事ができることやお金を稼げることが自分に価値があることの証しだと考える人がいる**ということです。

そのような人が若い時にバリバリ働けた間は何の問題もなかったでしょうが、定年を迎え、やがて思うように働けなくなり、十分な収入を得ることができなくなると、たちまちそのような自分に価値がないと思う人が出てきます。

定年後収入がないことがいいとは思いませんし、年金に頼れず、働かないわけにいかないような生活を強いる政治が間違っていることはいうまでもありません。

働きたいと思っていても、働けないことがあります。仕事がないかもしれませんし、仕事があっても病気や老いのために思うような仕事に就けないこともあります。

しかし、仕事ができなくなればもはや自分には価値がないと考えるのは間違いです。今の時代は生産性に価値があると考える人が多いです。社会全体の価値観として、生産性や経済性、また効率を求めるような生き方が望ましいと多くの人が信じています。これが定年だけでなく、働くことについて考える時の根源にある問題です。

それゆえ、これから定年を迎える人は、生産性に価値があるという考え方が正しいのかどうかを今からよく考えることが、定年後の人生の準備になります。

定年というターニングポイント

自分の価値をどこに見出すかは定年の時に限らず、いつでも考えなければならないことです。働ける自分に価値があると考えていれば、働けなくなった時に、たちまち自分には価値があるとは思えなくなるのは、定年を迎えなくてもわかることです。

一つの考え方としては、**定年後はそれまでとは別のことに価値を見出すことです。** 働いている時は仕事をすることに価値を見出していたが、定年後は趣味に生きがいを求めるというようなことです。しかし、定年前と後とで生活が大きく変化することをすぐに受け入れることができない人は多いように見えます。今や仕事ができないのだから、それに代わって何かをしなければならないと考えることに無理があるように思います。

もう一つの考え方は、**定年とは関係なく共通した何かに価値を見出すことです。** 定年前でも、突然病で倒れ仕事ができなくなることがあります。そのような経験をする前は、自分の人生が変わりなく続くと思っていても、それが必ずしも自明のことではなかったことに思い当たります。

そのような時に、それまで考えたことがない人でも人間の価値や生きる意味について考えなければならなくなります。

前から考えていたとしても、自分の考えがはたして正しかったのかどうかを検証しなければならなくなる一つのターニングポイントが定年です。働くこと、そのことで収入を得ることが価値あることだと考えてきた人にとって、また今はまだ働けるがいつまでも働けないだろうと恐れる人にとっては、定年は悪しきターニングポイントになってしまいます。

もっとも、これまでどんな考えをしていたとしても、定年は病気ほど切実なターニングポイントにはなりません。病気であれば死ぬかもしれないという危機的な状況の中で、考えを大きく変えるきっかけになるかもしれませんが、定年になって日々の生活が大きく変わることに困惑しても、自分の考えを大きく変えることはないかもしれません。

人の考えは容易には変わりません。私自身も生死の境を経験して、人は生きていることに価値があると考えるようになりました。

私が心筋梗塞で入院する前に長い時間をかけて書いていた原稿の校正刷りが、入院中に出版社から届きました。入院したのですから当然仕事をすることはできないはずなので、その旨編集者に連絡すればよかったのに、編集者にそのことを隠し、何とかして校正を戻す締切日に間に合わせようと考えました。もう「終わった人」だと思われ、出版社からもはやオファーがこなくなるのではないかと恐れたのです。それで、病床で原稿に手を入れるようなことをしました。

私の母が脳梗塞で入院した時、私は大学に通うことができず、私自身が入院したのと同じぐらい長い時間病院で過ごした時に、人生を生きる意味、人間の価値について深く考えました。そして世間的に価値があるとされているようなものには病の床にあってはまったく意味がないことを知りました。

その前にも人間の価値は生きることにあるということを知らなかったはずはないのです。

しかし、私自身が病気で倒れ生死の境をさまよった時、母を看病した経験があったにもかかわらず、私は生産性に価値があるとする常識的な考え方になお搦（から）めとられていたのでした。

生産性で人を評価しない

どんな時に人は自分に価値があると思えるかといえば、自分が何らかの仕方で他者に貢献していると感じられる時です。ただし、仕事をすることによってしか貢献できないわけではありません。

子どもがただ生きているだけでまわりの人に幸福を与えられるように、私たちもまた生きていることで他者に貢献し、幸福を与えることができる。そう考えていけないわけはないのです。

定年を迎え、以前のように働けなくなっても、それとは関係なく生きることで人は貢献できます。心筋梗塞で入院した時、私は身体を動かせなくなったことをすぐには受け入れることができませんでしたが、家族や見舞いにきてくれる友人たちがとにもかくにも私が生きていることを知って喜んでくれたことを見て、私が生きているだけでも他者に貢献していると思えました。

今や労働生産性についていえば、日本は先進国の中で一番低い国です。しかし、**経済的な指標で国の価値を考えるのはもはや時代遅れです。**若い人が大人たちの求める人間像に縛られることなく生き始め、そのようにして社会の一角が変わり始めれば全体としての社会は変わるでしょう。

その変わり始める社会の一角が若い人であってもいいのですが、定年後の人生を生きる人がその役割を担ってもいいのではないでしょうか。

お金がなくても生きられる

お金があれば何でも手に入って何でもでき幸福になれると固く信じて疑わない人がいます。そのような考え方から自由になっていくことが、人が幸福に生きるためには必要だと私は考えています。

このようなことをいうと、お金がなければ生きられないではないかという人がいますが、今の社会でそんなことはいうまでもないことです。

お金について問題なのは、お金があれば何でもできると考えるのは虚栄心に駆り立てられているからであるということです。

アドラーは次のようにいっています。

「虚栄心は、人が魔法の力によって何かを手に入れ、そのことで自分が偉いと感じるために、ますます力を奮い起こそうと仕向ける」(『性格の心理学』)

この虚栄心については、次のようにいっています。

「虚栄心においては、あの上に向かう線が見て取れる。この線は自分が不完全であると感じていて、等身大以上の大きな目標を設定し、他の人以上であろうとすることを示している」(前掲書)

「上に向かう線」とは「優越性の追求」です。優れようと努めることです。「等身大以上の大きな目標を設定し、他の人以上であろうとする」、これが虚栄心です。**ありのままの自分ではなく、それ以上の自分でありたいと思うことです。**

問題は、この虚栄心が「自分が不完全である」と感じること、「劣等感」があることを示しているということです。

お金を得たいと思うのが虚栄心であるというのは、そのことで自分を等身大以上に見せようとすることです。お金がなければ自分に価値があると思えないし、他者からも価値があるとは思われないと考えているのです。

お金がないために不自由な生活をしたくないといえば、それはたしかにその通りだと多くの人は思うので、実は虚栄心に囚われていることを自分にも他者にも隠すことができます。

しかし、実際には、お金を得ることで自分をよく見せたいだけなのです。しかし、お金があれば自分をよく見せられるというのは大きな勘違いです。

虚栄心は幸福を遠ざける

預金通帳を見せて、窓口にすわっている銀行員を口説く人がいると聞いたことがあります。本当にそんなことをしている人がいるとは思えないのですが、差し出された通帳を見ても、数百万、数千万のお金を日頃扱っている銀行員はそんなことでは心を動かされることはないでしょう。

それに、お金があれば結婚できるわけではありませんし、お金をたくさん持っていれば望む相手と結婚できるというのもありえない話でしょう。

いつか男子中学生が私に人生設計を語ってくれたことがありました。彼は一流大学に進学し、一流企業に就職するつもりだといいました。学力はあったので今後努力をすれば、この願望が叶わないわけではないだろうと思いました。しかし、その後の人生についてその中学生が思い描くイメージはおよそ現実からかけ離れたものでした。というのも、彼は二十五歳で結婚するというのです。

どこが現実からかけ離れているかをいう必要はないでしょう。一人で結婚できるわけではないのですから、好きな人がいても相手が結婚することに同意しなければ結婚できません。

それなのに、彼がなぜこのようなことが可能だと確信しているかといえば、彼がいうところの一流企業に就職すれば高給を得ることができるので、誰とでも結婚できると思っていたのでした。大学を卒業した、就職もした、後は「お嫁さん」といいかねないところでした。

良識のある人であれば、人生のパートナーをお金や社会的地位があることで選んだりはしないはずです。しかし、その中学生は、お金が人生で成功し幸福になるためのパスポートだと考えていたのでした。

なぜお金があることが幸福に繋がらないのか。まず、考えられることは、**お金があれば幸福になると考える人は、お金に囚われて生きることになる**ということです。たとえ巨万の富を持っていても、それを失うことを恐れることになるでしょうし、失うことを恐れない人でも、さらにもっと多くのお金を得たいと考えます。

株に投資した人は四六時中、株価の動きに注意を払います。今の時代であればインターネットで瞬時に自分の必要な情報を得ることができるのですが、そのような手立てがなかった時代にはラジオで四六時中、株価の変動を追い続けなければなりませんでした。そうなると、気もそぞろになって何も手につかなくなります。

お金を得ることで自分が力を得て偉くなったと勘違いする人は、態度が一変しますし、それに伴って自分を取り巻く対人関係が変わります。

真っ当な人は突然自分に対する態度が変わった人から離れていきますが、他方、近づいてくる人もいます。もちろん、お金を持っているから近づいてくるだけであって、その人が再びお金を失ったらたちまち離れていくでしょう。

親戚や友人が借金を申し込んだりするようなことも起こります。お金を貸さなければならない義務などもとよりありませんが、借金の申し込みを断った方が悪人であるかのように思われ、そのため、関係に溝が生じることになります。

お金に限ったことではありませんが、自分にとって有利だと思う人に近づく人はいます。ところが、この人と仲良くしていたら自分の立場が不利になると思うと離れていきます。お金がない時はまったく見向きもしなかった人が近づいてくるようなことがあると、この人はお金があるから近づいてきたのだとわかります。

このことに気づいた人はまだ救いがありますが、近づいてくる人が自分ではなくお金に近づいてきただけだということに気づかない人がいます。

このように、お金そのものが悪いというよりは、お金の使い方や、お金がきっかけとなって起きる対人関係の変化が問題です。お金さえあれば幸福になれるのにと思っていた人が、いざそのことが現実になった時に、少しも幸福ではないことに気づくことになります。

このようなことを考えると、いっそ何も持たないことが幸福であるために必要ともいえます。何も持っていなければ、誰も近づいてはきませんし、対人関係が損なわれるということもありません。また、持っていないものを失う心配をする必要もありません。

哲学者とお金の関係

古来、哲学者は貧しいという印象を持たれてきました。これは間違ってはいません。先に引いた中学生とは違って、私は大学で哲学を学ぼうと思いました。それを父にいった時、父は反対しました。父が反対した理由はいくつもあるのですが、おそらく哲学を学んでもお金にならないということが一番の理由だったのでしょう。このような推測の形でしか書けないのは、父が実際には直接反対したのではないからなのですが、親は子どもが貧しい人生を送ることを恐れたのでしょう。父もまたお金が幸福の条件だと考えていたわけです。

哲学者が皆貧しかったわけではありません。ギリシアの哲学者、タレスはある時、翌年の夏オリーブが豊作になることを知っていました。そこで、タレスはオリーブの搾り機を買い占めました。夏がきました。その時、人々はオリーブが豊作なのに搾り機が一台もないことに気づきました。そこで、タレスは高い値段で搾り機を売り、たちまち金持ちになりました。タレスは金を儲けたことを自慢しているのではなく、**お金というものが彼の人生では大きな意味を持たないことを示したかった**のです。

ソクラテスの流れを汲むディオゲネスという哲学者がいました。彼は生活の必要を最小限にまで切り詰め、自足した生活を送っていましたが、ある日、小川の水を手で掬って飲んでいる子どもを見て「私はこの子に負けた」といって、持っていた頭陀袋に入っていた茶碗まで捨てたと伝えられています。私は何かを持っているから私なのではありません。たとえ、持っているものをすべて失っても、お金や社会的な地位をすべて失っても、私が私ではなくなることは決してないのです。

貧しいからといって、心まで貧しくなるわけではありません。反対に、**吝嗇(りんしょく)な人が心が貧しくなることはあります。**金持ちなのに、否、金持ちだから吝嗇な人は多くいます。

加藤登紀子の「時には昔の話を」を聞くと、私は貧しかった学生の頃のことを思い出します。歌にあるように、道端で寝たことはありませんが、お金がなくても何とか生きていましたし、貧しかったけれども不幸ではありませんでした。

東京、京都、函館、名古屋で次々と人を殺し死刑になった永山則夫は、無知と貧困ゆえに罪を犯したといいましたが、彼を知っている友人は「皆、貧しかった」といいました。

社会の貧しさや時代の閉塞感が人を犯罪へと駆り立てることはあるかもしれません。しかし、そのような状況の中で生きているからといって、誰もが罪を犯すわけではありません。

その貧しさの中で誰もが不幸であるわけではありませんし、貧しくても幸福に生きることはできます。

お金がもたらしてくれるのは幸福でなく成功

お金さえあれば人は幸福になれると思うのは思い込みでしかありません。お金がないので今は不幸だと考えてしまうのはアドラーがいう「劣等コンプレックス」です。

「Aだから（あるいは、Aでないから）Bできない」という論理を日常生活の中で多用することです。

本当はできることでも、自分が不幸なのはお金がないからだと考え、最初から挑戦するのをやめてしまう人がいます。

このような人が実際にお金を手にした時に幸福になれるかどうかはわかりません。これまで書いてきたことからわかると思いますが、お金を手に入れることで得ようとしているのは幸福ではなくて、成功なのです。なぜなら、幸福であるためには何の条件もいらない、何もしなくてもいいので、**幸福であるためにお金は必要ではない**からです。

薬を飲まなければ生きていけないとしても、薬を飲むために生きているわけではないということについては先に見た通りです。それと同じように人はお金を稼ぐために生きているのではありません。

生きがいの搾取

東京オリンピックにボランティアが駆り出されることになっていましたが、なぜ労働の対価をきちんと払わないのかと不思議に思います。スポンサーがつく商用オリンピックで、企業はオリンピックを開催することで儲けることができるのに、ボランティアにはわずかな交通費しか出さず、宿泊費も出さないということでした。アドラーは共同体感覚を搾取するという言い方をしますが、世界中からやってくる人をもてなすという善意を利用するのです。

本来、ボランティアというのは、「志願する人」という意味であって、決して無償で働く人という意味ではありません。

何かをしてそのことで報酬を得るということはよくないことだと思っている人が多いのでしょう。特に、お金を受け取る、あるいは、お金を支払うことが失礼だと思っている人がいることに驚きます。

私は講演をする機会が度々あるのですが、講演料をいくらにするかをいわないで講演依頼されることはよくあります。私の場合は、このようなトラブルを回避するために今はエージェントを通して交渉していますが、以前は私がこのような交渉に不慣れだったのでトラブルはよくありました。

いつか講演先の会社の商品を講演料の代わりにしようとした企業がありました。お金で講演料を出すことが失礼だということだったのでしょう。

お金の話をすることをためらってしまうことはあります。個人的に講演の依頼を受けると、特に、知っている人から依頼を受けた場合、初めから講演料はいくらになるというような話を持ち出すとあまりにビジネスライクだと嫌がられることがあります。しかし、ビジネスライクにしなければ、結局損をするのは依頼を受ける側になります。

講演を依頼する側が、当社の規定で講演料は決まっていると交渉の余地を残さず話を進めようとすることがあります。依頼する側の規定が交渉に先行するのであり、規定はどうすることもできないというのが相手の言い分ですが、これは喩えてみれば、コンビニで商品を買う時にレジで我が家の取り決めではこのお菓子は百円ということになっているのでといって、百円で買おうとするようなものです。もちろん、そんな理屈が通用するはずがありません。

商品が高いと判断すれば買わなければいいのですが、**買う側が商品の価格を決めるのがおかしい**ことは誰でもわかるでしょう。しかし、そのおかしい慣行がまかり通っているのが現実です。

官公庁なので謝礼が少ないといわれることがあります。仕事を引き受けるかどうかをいつも必ず合理的に決めているわけではないので、悪条件でも講演依頼を受けることもありましたが。

このようなことは、講演だけではありません。私の場合であれば、原稿依頼があった時に出版社によって条件はかなり変わってきます。こちらから条件を提示して、この条件でなければ依頼を受けることはできないということはもちろんできますが、実際には原稿料を含めて総合的に判断することになります。依頼の九割は断るという作家の話を聞いたことがありますが、企業で働いている人であれば、生活があるので、依頼を断るなどとんでもないと考える人も当然いるでしょう。

しかし、どんな仕事もどんな条件でも引き受ければ、条件のよくない仕事もしなければならないことになりますし、生活のためにしたくもない仕事を引き受けるようになれば、仕事そのものが楽しくなくなります。仕事は生きるためにするものではなく、仕事をすることで幸福であると感じられなければ、そもそも仕事をする意味はありません。

労働時間では仕事の本質ははかれない

考えなければならないことがいくつかあります。

まず、報酬は労働時間に払われるのではありません。いつかテレビが故障して修理を電器屋に依頼しました。やってきた店の人は二時間あれこれと修理を試みましたが、結局テレビを直すことができませんでした。

その後、その電器屋から請求書が届きました。驚いたことに、その二時間分の修理費が請求されていたのでした。たった五分で故障が直ったのであれば、それに対しては修理費を払います。しかし、時間をかけても結局直らなかったのであれば、それに対して修理費を払うのはおかしいでしょう。

報酬は知識や技術に払われるものです。医師がいつも同じことしか患者に話さず、ほんの数分で診察を終えれば、患者は満足できないでしょうが、満足できないのは診察の時間が短いからではありません。

診察を受ける時間だけではなく、病院に行くのにも時間がかかり、多くの場合、予約時間が決まっていても、長い時間待たされることになります。その時間も含めて診察を受けたにもかかわらず、診察の前後に何の変化もなければ診察を受けた甲斐がないことになります。もちろん診察を受けただけでただちに症状は改善しませんが、ほとんど患者の話を聞かず、同じ薬を処方するだけなら電話再診でもいいはずです。

これは先に見たテレビの修理と同じで、テレビが直れば満足できますが、どれほど時間をかけても直らないのであれば、修理費を払う必要がないのと同じです。

しかし、身体の具合が悪かったのが、医師の診察を受けたらたちどころに何の病気かがわかり、治療の方針もわかれば、診察時間が一分であっても、診察代を喜んで払うでしょう。診断のためには、実際には、諸々の検査を受ける必要がありますが、それでも何度受診しても何の病気かわからないというのでは困ります。

このように知識や技術に対して正当な報酬を求めることは当然のことなのです。

友人だから無料とはいわないまでも通常よりも低い価格設定をしてほしいと頼む人がいても、専門家なのでこれは断らなければなりませんが、対人関係の摩擦が生じ友だちなのに冷たいというようなことをいわれることがあるからです。

知識や技術の価値が正当に評価されないこともあります。絵を描くことを求められた人が、あまりに早く描き上げてしまうので、依頼者がそれなら安くてもいいだろうというようなことをいうことがあります。

しかし、短時間で見事な出来栄えの絵を描けるようになるために膨大な時間を費やして技術を身につけたのですから、そのことに報酬を求めても当然なのに、理解できない人がいるのです。

翻訳を依頼してくる人も同じです。短い時間に正確に翻訳できるのは、先ほどと同じように膨大な時間を費やして外国語の知識を身につけたからなので、当然それに対しては適正な報酬を要求してもいいのです。それにもかかわらず、そんなに翻訳料が高いのであれば、機械翻訳にするなどという人がいるのです。そのような人は翻訳するということがどれほど難しいことであるかをまったく知らないのです。

ただし翻訳について付言するならば、外国語の知識と翻訳完成までの時間には相関関係はありません。知識がないために時間がかかるというのは論外ですが、長く翻訳をしているプロが翻訳の完成度を高めるために時間をかけることはあります。

次に考えなければならないことは、医師の診察の場合であれば、報酬は医師の知識に対して払われるわけですが、知識だけに報酬が払われるのではありません。医学知識に基づいて患者を治療したことに報酬が払われるのです。広い意味でいえば、医師の患者への貢献が報酬の対象であるといえます。

医師の場合は知識によって患者に貢献するのですが、仕方は様々でも労働によって他者に貢献する時には、それに対して当然報酬が支払われます。

ボランティアに報酬を支払うべき

ところが、この当然のことが行われないのがボランティアです。たしかに、報酬を得るためではなく、オリンピックを成功させたいという一心でボランティアに応募する人はいました。そのような人であれば、報酬が払われなくても文句をいったりはしないでしょう。

しかし、このようなボランティアは、善意、または貢献感を搾取されているのです。ボランティアの善意、貢献感を搾取する人がいるということです。

災害があった時も、ボランティアが募集されます。災害時に国が動かないので、ボランティアが被災地に行くことになるのです。公助を当てにできないので、共助によって災害の困難を乗り切らなければなりません。挙句に、ボランティアが足りないといわれることがあります。**ボランティアとして被災地で働く人は立派ですが、本来は国が動かなければならないのです。**

ボランティアが必要ならボランティアの労働に対して正当な報酬を支払うべきです。ボランティアをしたくても、多くの人は仕事をしなければならないので、ボランティアになるためには仕事を休めないということもあります。

また、今日仕事に就く意志があっても、そうすることができない人も多いのですから、そのような人がボランティアとして働くことに報酬が得られるのであれば、ボランティアになる人は増えるでしょう。

国がボランティアに頼るのはお金がないからではありません。端的にいえば、税金の使い方を間違っているのですが、ボランティアになることを国が推奨するのには必ずしもはっきりとは語られませんが、ある目的があると考えることができます。

それは、一体感を作り出すことではないかと私は考えています。

人と人が敵対するのではなく、結びついていることは大切であることは間違いないのですが、決して、国が上から押しつけるものであってはならないのです。東日本大震災の後に「絆」という言葉がしきりに使われたことがあります。しかし、**この絆は愛国心と同様、上から押しつけられてはならない**と私は考えています。

人生は戦いではない

アドラーが、他者を貶めることで、相対的に自分の価値を高めようとすることを価値低減傾向といっていることを見てきました。自分が無能であることを部下から見透かされないかと思った上司が「支戦場」もしくは「第二の戦場」で部下の価値を貶めるのです。それでは「本戦場」「第一の戦場」は何かといえば、本来の仕事の場なのです。そこでは他者との競争に勝たなければ生き残ることはできません。

しかし、これからの時代、このような考えでいいのかどうかは自明ではありません。仕事だけでなく、人生のあらゆる面で人は競争してきました。他社と競争し勝ち抜いた企業が利益を得、個人についても受験や就職試験で他者と競争して勝った人が成功者と見なされます。しかし、**競争に勝ち成功することが幸福なのではない**ということをこれまで見てきました。

見せかけの正義から戦争が始まる

先にあらゆる争いは自分と他者を「分別することに起因する」ということを見ましたが、競争は戦争を引き起こしてきました。

戦争をするためには、二つのことが必要です。まず、戦争を正当化する大義名分です。

加藤周一は、正義の戦争について次のようにいっています。

「〝正義の戦争〟などという議論が出て来た時に、ただ戦争は嫌だと言って個人的・感情的に対応したんでは、議論が嚙み合わない。向うは、正しい戦争だったらそれに協力するのは当たり前じゃないかという一般的な問題を出してくる」（『羊の歌』余聞』）

たしかに、嚙み合わないでしょう。それでは「正しい戦争」という時の正しさ、正義とは何かという議論から始めなければならないことになります。それは必要な議論でしょうが、問題は、**戦争をしたい人が持ち出す正義は戦争遂行のために必要な大義名分でしかない**ということです。

たとえよい意図があったとしても、戦争や死刑は次世代において共同体感覚の絶え間ない低下をもたらすとアドラーは書いています（『生きる意味を求めて』）。

戦争や死刑によい意図があると私は考えませんが、正義のための戦争だったり、自衛のための戦争には「よい意図」があると考える人はいます。

プラトンは、

「すべての戦争は財貨の獲得のために起こる」（『パイドン』）

といっています。

プラトンは戦争の起源について、これと同じ説明を『国家』の中でソクラテスに語らせています。『国家』の対話はアテナイとスパルタがギリシア世界の覇権をめぐって争ったペロポネソス戦争の渦中に行われたことになっています。

「われわれは戦争の起源を発見した。すなわち、国々にとって公私いずれの面においても害悪が生じる時の最大の原因、そこから戦争は起こるのだ」

牧畜や農耕に十分なだけの土地を確保しようとするならば、隣国の土地を得なければならず、財産を無限に獲得することに夢中になります。それ以外は後付けの理由でしかないのです。つまり、戦争の遂行のためには大義名分が必要です。

「財貨の獲得」というようなあからさまな理由を隠せるのであれば、正義でなくてもいいのです。ここでいう正義はもちろん名目だけの正義でしかありません。政治家は戦争を起こすことを正当化する理由をいつも探しているのです。

このように、戦争は実際には財貨の獲得のためでしかないのですが、正義というような大義名分が持ち出されます。結局は、戦争は一部の人の利益のために行われるのです。

加藤周一は、別の箇所で次のようにいっています。

「戦争のような極度に複雑な現象については、その必然性は見かけのものにすぎない。余りに条件の多い現象は、厳密に因果論的過程として理解することはできない。戦争に反対するのは、科学者としての認識の問題ではなく、人間としての価値の問題である。爆撃の下で毎日子どもが死んでゆくのは容認できない、ということ、それは議論の結論ではなく、出発である、ということだ」(『『羊の歌』余聞』)

軍事施設だけを目標にするといいながら、必ず「誤爆」が起こります。正義の(といわれる)戦争に「付随する損害」("collateral" damage)があっていいはずはありません。無辜の人、とりわけ子どもたちの死をそのような言葉で片付けてはいけないのです。

名目の正義ではなく、真の正義はあります。正義を自分にとって都合のいいように利用する人がいるだけです。偽りの正義に基づく儲けのための戦争に反対の声を上げなければなりません。

戦争の現実を見たからといって、正義そのものをないがしろにするのは問題です。そのことの問題は終章で見ますが、**正義に絶望することは、人をニヒリズムへと導くことになります。**

コロナウイルスと戦争を結びつけるのはおかしい

目下、私たちは新型コロナウイルスと戦っていると考えている人は多いですが、敵がいなければ戦争にはなりません。ウイルスは敵ではありません。ウイルスを敵と見なすことがウイルスに感染した人を窮地に追い込むことになっています。どれほど気をつけていても誰もが感染する可能性があるのですから、感染した人は責められ謝罪させられることまでありますが、そのようなことは必要ありません。むしろ、無策な政府の犠牲者だといっていいくらいです。

それなのに、なぜコロナウイルスと戦うというような戦争の比喩が使われるのか。それには理由があります。

伊坂幸太郎の小説の中で、登場人物の一人が、アメリカは「戦争」や「ウォー」という言葉に負のイメージを抱かせないようにしてきたという指摘をしていますが、そういうことはいかにもありそうだと思いました。

「エイズとの戦い」とか「貧困との戦争」というふうに、戦争と正義の意味合いとを結びつけてあちらこちらで用いてきたのは、いつか軍事的な意味での、「真の戦争を起こす際に、国民の支持を得やすくするための準備」だったというのです（『PK』）。

戦争をするために戦う相手は必要です。**コロナウイルスは本当は敵ではないので戦えないのですが、それでも何とかして敵と見なしたい人がいます。**

それでは、実際の戦争では対象が明確かといえばそうではありません。

犯罪者は自分がこれから害する人に対して怒りを覚えたり、憎しみを持ちます。しかし、戦争では相手が見えません。

日米が戦争をした時、日本人は突然アメリカ人に憎しみや怒りを覚えたかといえば、そんなはずはありません。だから、戦争中、見たこともないアメリカ人らを憎み怒りを感じるように鬼畜米英というようなキャンペーンが必要だったのです。

アドラーは憎しみと怒りについて、次のようにいっています。

「憎しみの感情は、怒りの爆発において、非常に高い程度に達することがある」（『性格の心理学』）

怒りは「人と人を引き離す感情」だとアドラーは見ています。怒りの感情をぶつけられたりした時に、その相手のことを近く感じるかというとそうではないでしょう。この対人関係の心理的な距離が遠くなると、二人の間に起きた問題を解決することは困難になります。憎しみや怒りが根底にある戦争では問題を解決できないということです。

終章

私たちができること

目下、これから起こることに希望を持つことは難しいと思っても、明けない夜はないとか、夜明け前が一番暗いなどといって何もしなければ何も起こりません。

今は深い霧で覆われているような状態です。まずは立ち止まらなければなりませんが、その後、ずっとそうし続けることはできません。これまで歩んできた道を先は見えないけれどもこのまま歩き続けたら、きっとどこかに行き着くだろうというようなことを漠然と思っているだけでは絶壁から転落するかもしれません。

何もしなくても危機は過ぎ去ると思っている人が多いように見えます。コロナウイルスが終息しても、**今コロナウイルスをきっかけに顕在化した、しかし実はずっと前から巣食っていた問題が、コロナウイルスよりもはるかに大きな危機をもたらすことになるでしょう。**

ここまで考えてきたことを踏まえて、私たちには何ができるかを考えてみましょう。

価値相対主義からの脱却

価値相対化の議論は古代ギリシアの時代からあります。ソフィストの代表であるプロタゴラスは「万物の尺度は人間である」といっています。食べ物について美味しいか美味しくないか、あるいは、辛いか辛くないかということは各人の主観でしかありませんが、それが健康によいかどうかという話になると、自分の主観で決めることはできません。

例えば、「美しい」という言葉の意味を知っているということは、何かを見た時にそれが美しい、あるいは、美しくないと判別できるということです。

しかし、この判別は誰にとっても、あるいは、あらゆる場合に一定不変ではありません。つまり、私が美しいと判別するものを他の人はそう判別しなかったり、かつて私が美しいと判別しなかったものを今は美しいと判別することがあります。

さらに、あるものを見て「きれい！」という時、過去に見たものと比較してそういうのではありません。初めて見た景色に感動したり、初めて会った美しい人に心奪われる経験をすることがあるからです。

「イデア」とは何か

何かを見てそれがきれいといえるためには、このきれいという判別の中に、先験的としかいえない何かが働いていると考えなければなりません。これをプラトンは、「イデア」といっています。

イデアは「美」を例にして説明するならば、美しいものを見た時にそれを美しいと判別させる原因、根拠ですが、イデアは経験の中にそのままの形で現実の知覚像として現れることはありません。

重要なことは、**イデアと現実を混同してはいけない**ということです。この世のいろいろなものにイデアの面影を認め、イデアをある程度想起することはできます。しかし、イデアの認識を深めれば深めるほど、地上のいかなるものとも混同することはなくなります。イデアと現実の混同は偶像崇拝への道を開くことになります。

「誰一人として悪を欲する人はいない」というソクラテスのパラドクスがあります。

悪を欲する人がいるではないか、と考えると「パラドクス」（逆説）に聞こえます。
しかし、ここで使われる「悪」、その反対の「善」は道徳的な意味ではなく、それぞれ「ためにならない」「ためになる」という意味です。
このことを踏まえて「誰一人として悪を欲する人はいない」という言葉を読み返せば、「誰も自分のためにならないことをしない」「誰もが自分のためになること（善）を欲している」という意味なので、これは当たり前のことであり、パラドクスとはいえないでしょう。

この善悪も主観で決めることはできません。プラトンはこのように考えることで、価値相対化の議論に反対したのです。

プラトンはまた国家の正義も個人の正義もすべて、真の意味での哲学からこそ見て取ることができると考えるようになり、政治的権力と哲学的精神が一体化しなければ国家にも人類にも災いの止むことはないと考えるようになりました。プラトンがこの哲人政治論を唱えたのは、民主主義が虚無主義、あるいはアナーキズムに陥る危険があることを見て取ったからです。

三木清は次のようにいっています。

「もし独裁を望まないならば、虚無主義を克服して内から立ち直らなければならない。しかるに今日我が国の多くのインテリゲンチャは独裁を極端に嫌いながら自分自身はどうしてもニヒリズムから脱出することができないでいる」（『人生論ノート』）

なぜ高学歴な人ほど洗脳されやすいのか

これでは独裁者の思う壺になってしまいます。既に強固な価値観があるところに、新たな価値観を植え付けることは難しいですが、ないところ、つまり**虚無主義に何かを植え付けることは簡単だからです。**少なくとも、相対主義に陥ってはいけません。絶対的な価値があるということ、ただしそれの認識には容易に到達できないという理解があった上で、それを追求することが必要です。

価値の相対主義を持ち出さなくても、国民に考えること、あるいは、疑うことをやめさせれば為政者の都合のいい価値観を植え付けることは容易です。

高学歴の若者が宗教に入って人を殺傷するということがありました。なぜ高学歴であるにもかかわらず、教祖のいいなりになって、そのようなことをしたか。そのようなことをすることに何のためらいも感じないほど洗脳されたのは、自分で考えずに、ただ与えられた知識を無批判に受け入れてきたからです。

宗教団体でなくても一般企業においても、新人を洗脳することがあります。大学では何も学ばなくてもいい、我々が一からすべてを教えるというようなことをいう企業もあります。**若い人が自分で考え行動することを会社は望まない**のです。

国民もまた政治家から何も考えないように日々洗脳されているといっても間違いありません。

できることは足元にある

自分のことは棚に上げて他者を批判する人はいつの時代も多いです。先にも引用しましたが、アドラーがこんなことをいっています。

「憎しみの感情はいつも直線的でも明らかになるわけでもなく、時としてヴェールで覆われているということ、それは例えば批判的態度という、より洗練された形を取りうるということを忘れてはならない」（『性格の心理学』）

批判がアドラーのいうように「より洗練された形」で行われているかは疑問ですが、根底に憎しみの感情があるという指摘は重要です。アドラーは憎しみについて、先にも引きましたが、次のようにいっています。

「憎しみの感情は、怒りの爆発において、非常に高い程度に達することがある」

憎しみも怒りも「人と人とを引き離す感情」だとアドラーはいいます。問題を解決するためには関係が近くなければなりませんが、人を憎んだり、批判したり、さらには怒ることでは関係が遠くなってしまい、結局は問題を解決することはできません。

怒りは人と人との距離を引き離す

部下や子どもを叱りつけている人は、怒りの感情を使えば、問題をたちまち解決できると考えています。しかし、実際には、また同じことが繰り返されます。感情的に叱りつけられると、怖いので行動を改める人がいます。しかし、その方法が即効性があっても有効でないのは、また同じことが繰り返されるということからわかります。もしも叱ることが教育的に有効であるならば、一度叱れば二度と同じことが繰り返されるはずはありません。

そこで、問題を解決するためには、従前の方法を改めることから始めなければなりません。即効性を求めず、たとえどれほど手間暇がかかっても、感情的にならないで、言葉を使って理性的に地道に問題を解決していくことが必要なのです。

政治の場面では、憎しみや怒りを梃子(てこ)にしたり、あるいは大義名分の正義を持ち出したり愛国心を強制したりして戦争するのではなく、時間はかかっても即効性を求めず外交によって問題を解決していくことこそが大切だということが常識になるためには、日常生活でも、問題を解決する時に感情的にならず、言葉を使わなければなりません。

戦争に反対していても、家庭や職場で部下を叱りつけているようでは駄目なのです。

まず、日常生活の対人関係で怒りを使わずに言葉を使って問題を解決できるという経験をすれば、政治の場面でも言葉が有用であることがわかります。

憎しみのヴェールに覆われた「批判的態度」と「批判」は違います。考えの違う人と共生していかなければなりませんが、異なった考えを持った人たちが建設的な批判をすることまで妨げません。

憎しみを交えない批判をするためにはどうすればいいか。批判を「人」に向けてはいけないのです。「誰」がいっているかではなく、「何」が語られているかに注目し、発言内容そのものについて間違っているのであれば、それを正すことは必要です。人を批判するのでなければ、憎しみの感情が介在する余地はなくなります。

私が危惧するのは、こちらがどれほど冷静に相手の誤りを指摘して批判しても、相手が理性的でなければこちらの主張が理解されないのではないかということです。

しかし、今していることが自分のためにならないことがわかれば、行動を改めようとするかもしれません。不正を犯している人は、**不正こそ善、つまり得になることだと考えている**のです。不正を犯した時そのことを認めなくても何とかやり過ごせることを学んでしまった政治家は、どれほど真実を語れといわれても頑として拒むでしょう。嘘をつき通すことが得だと判断しているからです。

しかし、そうすることが人々の支持を失うことになることがわかれば、態度を改めるでしょう。不正でも、また国民を戦争へと駆り立てる偽りの正義でもなく、真の正義こそが善であると知ることが最終目標です。

政治家でなくても、正義と善が一致するということ、正義に従って生きることが本当に得になるということがわかれば、人は偽りではなく、真の正義に従って生きるでしょう。

この世界では完全な正義はこれまでも実現されていませんし、これからも実現されないかもしれませんが、正義が何なのかはすぐには答えが出なくとも、問い続けなければなりません。

人生において大切なこと

しかし、正義とは何かという問いに答えが出なければ生きられないわけではありません。

デカルトは、森の中で迷った時には、あちらこちらにさまよい歩いてはいけないといっています。では「止まれ」というのかといえばそうではなく、「まして、一つの場所に留まってはいけない」、いつも同じ方向にできるだけ真っ直ぐ歩けば、望むところへ正確に行き着かなくても、最後にはどこかに行き着く、その方が森の真ん中にいるよりはいいだろうといっています（『方法序説』）。

一つの場所に留まらず、真っ直ぐ歩くといっても、方向は決めなければなりません。

デカルトは妙なことをいっています。

「自分の行動において、できる限り確固とし、決意を固めること。そして、どんなに疑わしい意見でも、一度それに決めたなら、きわめて確実な意見である時に劣らず、変わらず従うこと」（前掲書）

どんなに疑わしい意見にでも従い、さらには、ただ偶然にこの方角に行こうと決めたとしても、たいした理由がなければ方向を変えてはいけないというのです。

一度は立ち止まらなければならないと先にいいました。その後歩き続ければどこかに辿り着くかもしれませんが、たとえ森から出られたとしてもそこが絶壁であってはいけません。疑わしい意見に従うのでも偶然に方向を決めるのでもなく、方向を間違ってはいけないのです。

「自分だけは大丈夫」は通用しない

まず、今までの価値観を変えなければなりません。病者や高齢者は生産性に貢献しないので、価値がないと見なされてきましたが、この価値観を根本的に変えなければならないと思います。病者や高齢者を切り捨てるのがいいと考えるような人は、自分は決して病気になることはなく、いつまでも歳を取らないと思っているのでしょう。この問題に限らず、自分を安全圏に置き、政治家や評論家のように考える人がいますが、誰もがいつ何時コロナウイルスに感染するかわからないような状況においては、自分を特別視できないはずです。

自分を安全圏において今起こっていることを考えるので、病者や高齢者に共感することができないのです。

次に、人生の目標を成功ではなく幸福に据えなければなりません。人は未来に何かを達成するかどうかに関係なく、「今ここ」で幸福であることができます。このことに気づく人が増えれば、世界は大きく変わり始めるでしょう。

まず人間

さらに目を外に向けなければなりません。

原発事故はその影響が日本国内に限定されるのではなく、世界中に被害をもたらし、今ももたらしています。それにもかかわらず、原発事故を国内の事故、局所的な事故だと信じた人は多かったです。放射能で汚染された水や空気は他国へも届きました。

コロナウイルスの蔓延も「国難」national crisisではなく、「国際難」international crisisです。自国だけ感染が収まったところで意味がありません。国という枠組みを超えて世界中の人が取り組んでいかなければならない課題です。

愛国心を強制するのは劣等感の表れ

いつか、京都にしかないよいところは何かというテーマで取材の申し込みがあったのですが、断ったことがあります。京都にしかないところが思いつかなかったからなのですが、今は日本という国が他の国と比べて優れているということを自慢げに語る人が多くて辟易(へきえき)します。これは優越コンプレックスです。**本当に優れている人は自分が優れていることを誇示したりはしません。**同様に国についても、それぞれの国によいところはたしかにあるでしょうが、それをことさらに他国と比べて誇示することも優越コンプレックスであり、これは劣等感の裏返しなのです。

愛国心を強制するのも劣等感です。今のままではこの国を国民が愛することはないのではないかと恐れた政府が、戦争をする時に大義名分としての正義を持ち出したり、怒りや憎しみを喚起して、愛国心を強制するのです。

自分が生まれ育った国を愛せないのは不幸なことでしょうが、自国だけを愛するのは間違いですし、そもそも人は愛せても「国」を愛することはできません。

アドラーがいう**共同体は普通にイメージされるよりもはるかにその範囲は広い**ものです。「共同体」は到達できない理想であって、決して既存の社会ではないとアドラーは考えています。さしあたって、自分が所属する家族、学校、職場、国家、人類というすべてであり、過去・現在・未来のすべての人類、さらには、生きているものも生きていないものも含めたこの宇宙の全体を指しています（『人間知の心理学』）。

「決して現在ある共同体（ゲマインシャフト）や社会（ゲゼルシャフト）が問題になっているのではなく、政治的、あるいは、宗教的な形が問題になっているのでもない」（『生きる意味を求めて』）

共同体は、時間的にも今の世代に限定するのではなく、過去から現在、未来まで綿々と続くあらゆる世代に連なります。**今の世代同士の結びつきだけではなく、これから生まれてくる世代の人とも人は共生していかなければならず**、今、よければ後はどうなってもいいわけではありません。

アドラーがいう「共同体」(ゲマインシャフト)は、目的、利益社会という意味でのゲゼルシャフトに対比される共同体であることに注意しなければなりません。もともとゲマインシャフトという言葉は、共同体内部の結束は強いが、外の世界に対しては敵対的であるというような社会のあり方をいうものでした。

共同体とはサステナブルなものである

しかし、アドラーがいう共同体は、イエスがいう意味での共同体ではなく、外の世界に開かれています。神学者の八木誠一は、イエスの言葉が文字通り行われる社会を、報いをまったく求めない純粋の「贈与型社会」と呼んでいます(『イエスと現代』)。

しかし、アドラーがいう共同体は外の世界にも無限に開かれています。先に見たように、共同体感覚(Mitmenschlichkeit)があるとは、人と人が結びついて(mit)いるという意味ですが、結びつく対象は、無限に外に開かれた共同体に属するすべての人です。

傷ついた人がいた時、治療に当たって国籍は問題になりません。しかし、たしかにこのことが当然のことではなかったことは、よきサマリヤ人のたとえ話（『ルカによる福音書』）からもわかります。彼らは自分たちを差別冷遇するユダヤ人も「敵」とは考えませんでした。今の時代こそ、共同体の外にいる人を「隣人」と見なせるようにならなければなりません。

イエスのいう「隣人」は「個人」であり「人間」、目の前にいる「この」人でなければなりません。

一九三〇年代の末から四五年まで、人を罵るのに「それでもお前は日本人か」ということが流行っていました。この問いは修辞疑問であり、その意味は「それならば日本人ではない」ということです。「それでも」の「それ」は、相手の言動であり、罵る側は、「それ」が日本人の規格に合わないと見なしたのです。

「個人」は国家よりも大きな共同体に属しているのです。

一九四五年の三月三十一日の夜、白井健三郎（フランス文学者、当時は海軍司令部に勤めていた）に「きみ、それでも日本人か」といった人がいました。白井は落ち着き払って答えました。

「いや、まず人間とは何だい。ぼくたち、まず日本人じゃあないか」

「違うねえ、どこの国民でも、まず人間だよ」

この話を伝える加藤周一は、次のようにいっています。

「人権は『まず人間』に備るので、『まず日本人』に備るのではない。国民の多数が『それでも日本人か』と言う代りに『それでも人間か』と言い出すであろうときに、はじめて、憲法は活かされ、人権は尊重され、この国は平和と民主主義への確かな道を見出すだろう」（『羊の歌』余聞』）

ゆっくり変わろう

プラトンの『国家』の中に「洞窟の比喩」といわれる話が出てきます。

洞窟の中で壁に向かって縛られている人間は、壁に映っている影を本物と信じて疑いませんが、ある日、縛めを解かれ首を巡らすと、それまで影だけを見ていたので実物と光を見ようとしても目が眩み、今見ているものこそより真実性があるといわれてもにわかに信じることができません。しかし、やがてこれこそ「常に普遍のあり方を保つもの」であることを知ることになります。そうなると、もはや壁に映るものが本物だと思わなくなります。

この「常に普遍のあり方を保つもの」が先に見た「イデア」ですが、このイデアを見るべく身体を向け変えることが「ペリアゴーゲー」といわれます。「向け変え」とか「転向」と訳されます。

転向（ペリアゴーゲー）と向き合う

価値観を変えるという時も、首だけを巡らすのではなく、身体全体を向け変えなければなりません。しかし、最初から全面的に向け変えることができなくても、一度でもイデアの似像を見てしまうと、元に戻ることはできません。本物を見た以上、この世界にあるものをイデアと見紛うことはありません。

今は何とかしなければならないと気が張っている人でも、一旦緩むと元に戻ってしまいます。コロナウイルスについていえば、**ウイズコロナといった途端、緩んでしまったように見えます。**

何かに取り組んでも、結果が出なければ、しかもすぐに結果が出なければ諦めてしまう人がいます。自粛によって、少しでも感染者数が減ればそれは結果が出たということですが、前とまったく同じ生活ができないのであれば、外に出ないという不自由な生活を続けたくはない人がいます。

ゼロか百か、all or nothing と考えるのではなく、どうして中間であってはいけないのでしょう。

何かのきっかけがあって、それまでの生き方を悔い改めて信仰に目覚めることを「回心」といいます。回心といえば、劇的に考えや生き方が変わるという印象があります。

パウロは、ダマスコへの途上、突然天から強い光が差してパウロ（サウロ）のまわりに輝いた時、「サウロ、サウロ、なぜ、わたしを迫害するのか」というイエスの声を聞きました。パウロは光のまばゆさのために目が見えなくなりました。天からの光を受けて馬から落ちたパウロの姿を描く絵画があります。

哲学者のキルケゴールは「回心」について次のようにいっています。

「回心はゆっくりと起こる。前進してきたのと同じ道のりを逆行しなくてはならないのである。回心は完成されるということがなく、むしろ逆戻りしてしまうことがありうるのだから、おそれとおののきをもって取り組もう」（『キェルケゴールの日記』）

キルケゴールの回心のように、行きつ戻りつ、ゆっくり変わっていいと思います。元に戻ったらまた繰り返す。結果がすぐに出なくても焦らずにできることをしていくだけです。

むしろ、今の人生を変えようと思い立っても、すぐには何も変えられないことを変わらないことの理由にするのが問題です。

元に戻ったようでも、実際には前よりは少し高いところにいるはずです。螺旋（らせん）階段を上る時のようです。高くならなくてもいいかもしれません。前と少しでも変わっていればいい。すべて変わらなくとも少し変わればいいのです。

一人の力は大きい

解決すべき問題が大きすぎる時、誰もどうしたらいいか明解な答えを持っていない時には、何をしても甲斐はない、私一人が変わっても社会は変わらないという無力感、絶望感に囚われてしまいます。

しかし、現実の困難さを見て無力感に囚われるのではありません。無力感は、初めから何をしてもどうにもならないと諦め、自分は現状を変えるために何もしないことを正当化するために作り出される感情なのです。

何かの課題に取り組む時、その解決があまりに困難だと思うと、できない理由を探し出します。今のままではいけない、現状を変えなければならない、「でも」といってしまうのです。

「でも」といった時、それは「しない」という宣言です。

燃えさかる火にはひたすら水をかけるしかありません。水をかけても火の勢いは少ししか弱まらないかもしれませんが、手を拱いて何もしなければ火の勢いはもっとひどくなります。

それでも、一人ひとりが問題の解決に向けての大きな力になれるのは、一人で生きているのではなく、他者との結びつきの中で生きているからです。人は複数の共同体に所属していますが、共同体に所属した瞬間、自分が所属する以前にあった共同体はもはや存在せず、共同体は変わり始めます。正確には、「私」が共同体を変えるのです。

参考文献

Adler, Alfred. *Adler Speaks: The Lectures of Alfred Adler*, Stone, Mark and Drescher, Karen eds., iUniverse, Inc., 2004
Burnet, J. ed. *Platonis Opera, 5 vols.*, Oxford University Press, 1899-1906
Descartes, *Le Descours de la Mérhode*, Œuvres philosophique, Tome I, Garnier Frères, 1963
Fromm, Erich. *Haben oder Sein*, Deutscher Taschenbach Verlag, 1976
Sontag, Susan. *Illness as Metaphor and AIDS and Its Metaphors*, Picador, 2001
Thucydides. *Historiae in two volumes*, Oxford, Oxford University Press, 1942
アドラー、アルフレッド『人間知の心理学』岸見一郎訳、アルテ、二〇〇八年
アドラー、アルフレッド『生きる意味を求めて』岸見一郎訳、アルテ、二〇〇八年
アドラー、アルフレッド『性格の心理学』岸見一郎訳、アルテ、二〇〇九年
アドラー、アルフレッド『人生の意味の心理学（上）』岸見一郎訳、アルテ、二〇一〇年
アドラー、アルフレッド『人生の意味の心理学（下）』岸見一郎訳、アルテ、二〇一〇年
アドラー、アルフレッド『個人心理学講義　生きることの科学』岸見一郎訳、アルテ、二〇一二年
アドラー、アルフレッド『人はなぜ神経症になるのか』岸見一郎訳、アルテ、二〇一四年
アドラー、アルフレッド『子どもの教育』岸見一郎訳、アルテ、二〇一四年
岸見一郎『生きづらさからの脱却』筑摩書房、二〇一五年

岸見一郎『老いた親を愛せますか？』幻冬舎、二〇一五年
岸見一郎『成功ではなく、幸福について語ろう』幻冬舎、二〇一八年
岸見一郎『愛とためらいの哲学』ＰＨＰ研究所、二〇一八年
岸見一郎『「今、ここ」にある幸福』清流出版、二〇一九年
岸見一郎『人生は苦である、でも死んではいけない』講談社、二〇二〇年
岸見一郎『老後に備えない生き方』KADOKAWA、二〇二〇年
岸見一郎、古賀史健『嫌われる勇気』ダイヤモンド社、二〇一三年
岸見一郎、古賀史健『幸せになる勇気』ダイヤモンド社、二〇一六年
伊坂幸太郎『ＰＫ』講談社、二〇一二年
伊坂幸太郎『逆ソクラテス』集英社、二〇二〇年
加藤周一『『羊の歌』余聞』筑摩書房、二〇一一年
キェルケゴール、セーレン『キェルケゴールの日記』鈴木祐丞編訳、講談社、二〇一六年
神谷美恵子『生きがいについて』みすず書房、二〇〇四年
九鬼周造『九鬼周造随筆集』菅野昭正編、岩波書店、一九九一年
徐京植、多和田葉子『ソウル―ベルリン玉突き書簡』岩波書店、二〇〇八年
ジョルダーノ、パオロ『コロナ時代の僕ら』早川書房、二〇二〇年
ソポクレス『オイディプス王』藤沢令夫訳、岩波書店、一九六七年
辻邦生『言葉の箱』中央公論社、二〇〇四年

フランクル、ヴィクトール・E『夜と霧』霜山徳爾訳、みすず書房、一九八五年
三木清『人生論ノート』新潮社、一九五四年
三木清『三木清全集』岩波書店、一九六六〜一九六八年
三木清『語られざる哲学』(『人生論ノート』KADOKAWA、二〇一七年所収)
森有正『バビロンの流れのほとりにて』(『森有正全集1』筑摩書房、一九七八年所収)
森有正『流れのほとりにて』(『森有正全集1』筑摩書房、一九七八年所収)
森有正『砂漠に向かって』(『森有正全集2』筑摩書房、一九七八年所収)
和辻哲郎『妻　和辻照への手紙(上)』講談社、一九七七年
和辻哲郎『妻　和辻照への手紙(下)』講談社、一九七七年
和辻照『夫　和辻哲郎への手紙』講談社、一九七七年
八木誠一『イエスと現代』平凡社、二〇〇五年
吉野弘『吉野弘詩集』小池昌代編、岩波書店、二〇一九年

岸見一郎　きしみ・いちろう

1956年、京都府生まれ。京都大学大学院文学研究科博士課程満期退学（西洋古代哲学史専攻)。著書に『アドラー心理学入門』(KKベストセラーズ)、『人生は苦である、でも死んではいけない』(講談社)、『アドラーをじっくり読む』(中央公論新社)、『老いた親を愛せますか？ それでも介護はやってくる』『子どもをのばすアドラーの言葉　子育ての勇気』『成功ではなく、幸福について語ろう』(幻冬舎)、訳書にプラトン『ティマイオス／クリティアス』(白澤社)などがある。共著『嫌われる勇気』（ダイヤモンド社）はベストセラーに。

装丁　山家由希
DTP　美創

これからの哲学入門
未来を捨てて生きよ

2020年12月10日　第1刷発行

著　者　岸見一郎

発行人　見城 徹
編集人　福島広司
編集者　木田明理

発行所　株式会社 幻冬舎
〒151-0051　東京都渋谷区千駄ヶ谷4-9-7
電話　03-5411-6211(編集)
　　　03-5411-6222(営業)
振替　00120-8-767643

印刷・製本所　図書印刷株式会社

検印廃止

Printed in Japan
ISBN978-4-344-03730-4 C0095

幻冬舎ホームページアドレス　https://www.gentosha.co.jp/
この本に関するご意見・ご感想をメールでお寄せいただく場合は、
comment@gentosha.co.jpまで。